LES MÉDECINS

À Jean-Marie et Gwenola, pour la chaleur
des soirées passées ensemble.

À Nathalie H.-S.,
pour les rires partagés lors
de nos aventures théâtrales.

© 2014 Éditions NATHAN, SEJER, 92, avenue de France, 75013 Paris
Loi n° 49-956 du 16 juillet 1949 sur les publications destinées à la jeunesse,
modifiée par la loi n° 2011-525 du 17 mai 2011
ISBN 978-2-09-255000-7
Dépôt légal : septembre 2014

LES MÉDECINS RIDICULES

En coulisse avec Molière

Laure Bazire

Nathan

CHAPITRE 1

Novembre 1664

La porte de l'hospice des Quinze-Vingts se ferma derrière moi dans un long grincement. J'enfonçai mon chapeau sur ma tête et serrai autour de moi les pans de ma cape. Ce mois de novembre n'était pas particulièrement froid, mais l'humidité et le brouillard qui semblaient ronger Paris me ramenaient chaque jour son lot de malades. Toine, le nouveau domestique de Jean-Baptiste, éleva sa lanterne et me dit :

– Tout drèt dans la rue Saint-Honoré, puis à drèt, m'sieur le médicastre, à drèt, que la maison ed' m'sieur Poquelin, elle est au coin ed' la rue.

Son accent m'étonna et je me demandai où Jean-Baptiste avait encore été trouver ce domestique-là. Peut-être du côté de Rouen, où il allait parfois voir Pierre Corneille... L'homme marchait vite et faisait claquer ses sabots sur le pavé glissant de la rue

Saint-Honoré, sans se soucier de la boue qui giclait sur ses vêtements. Je m'efforçai de ne pas me laisser distancer et, tout en évitant les tas d'immondices sur la chaussée, je suivis le halo de lumière qui trouait péniblement l'obscurité.

Lorsque Toine avait surgi, quelques heures auparavant, aux Quinze-Vingts, j'avais tout de suite compris que Jean-Baptiste m'envoyait chercher parce qu'il y avait un malade chez lui et qu'il était inquiet. J'espérais que ce n'était pas le petit Louis. Je calculai rapidement son âge : il était né en février, je m'en souvenais parce que la Seine avait été particulièrement haute et que ça m'avait été difficile de passer voir sa femme, Armande, la jeune accouchée.

À gauche, la masse du Palais-Royal se détacha dans le brouillard. La rue Saint-Thomas-du-Louvre n'était plus bien loin. Mon ami s'était installé là au mois de juin, malgré mes conseils : la maison appartenait à un confrère, Daquin, que je me réjouissais de compter parmi mes ennemis. Imbécile, charlatan, flatteur et très attaché à l'argent : ces qualités réunies faisaient de lui un parfait courtisan et lui avaient valu de se faire nommer parmi les huit médecins qui entouraient notre bon roi Louis XIV. Jean-Baptiste m'avait écouté, puis il avait souri : il savait tout cela, mais il voulait cet appartement situé à côté du théâtre. « Quand tout le monde te connaît comme Molière, le comédien qui a fait rire le roi, tu ne peux habiter qu'à côté de ton théâtre ! » avait-il conclu pour balayer mes arguments.

Je continuais à marcher, quand enfin Toine agita sa lanterne pour me signaler qu'il tournait à droite. Nous fîmes quelques pas encore et arrivâmes devant la porte des Poquelin. Je grimpai les trois étages en soufflant, talonnant Toine auquel cette ascension ne semblait poser aucun problème. Avant même que nous ayons atteint le dernier palier, Madeleine Béjart, la belle-sœur de Jean-Baptiste, ouvrit la porte et se contraignit à me sourire.

– Je vous ai entendus arriver. Armande et Jean-Baptiste sont dans la chambre du fond.

Elle passa une main sur son visage las tout en me faisant signe d'entrer. Je la trouvai soudain fragile, elle qui, sur scène, était la vie incarnée.

– Madeleine, vous devez vous reposer.

– Ma sœur Armande s'inquiète pour son enfant. Comment voulez-vous que je me repose ?

Sa voix vibra un instant dans le couloir désert. En passant devant elle, je gagnai la chambre qu'elle m'avait indiquée. Jean-Baptiste était debout, près de la fenêtre. Il ne bougea pas lorsque j'entrai. Assise dans un fauteuil, près de l'âtre qui rougeoyait, Armande, sa jeune femme, berçait son petit. Elle leva les yeux et me dit, avec un sourire incertain :

– Armand, je suis très inquiète. La nourrice est venue ce matin au théâtre avec lui ; depuis hier, il a du mal à téter. Et puis il est brûlant… C'est moi qui ai insisté auprès de Jean-Baptiste pour qu'il t'envoie chercher. Je suis désolée, mais…

– Laisse-moi l'examiner de plus près, ce petit.

Je donnai à ma voix le plus d'assurance possible. Tout en posant ma cape lourde d'humidité, j'auscultai rapidement Louis. Je n'aimais guère son air éteint, ni les cernes grisâtres qui apparaissaient sous ses yeux, ni ses pommettes si rouges qu'elles semblaient peintes. Le cœur battait bien vite. Je n'eus pas besoin d'aller plus loin pour comprendre que la fièvre était en train de le dévorer, l'une de ces fièvres inexplicables qui surgissaient régulièrement dans la ville.

Je réfléchis. Pour faire tomber la fièvre, il n'y avait guère que le quinquina, mais je ne l'avais jamais administré à un enfant aussi jeune. Je caressai doucement ses cheveux, submergé par la pitié : je n'avais pas grand-chose dans mon arsenal de médecin pour sauver ce petit être.

Je décidai de tenter le tout pour le tout et demandai du papier à Madeleine, qui observait la scène appuyée contre le chambranle de la porte. Tandis que je griffonnais mon ordonnance, Armande s'éloigna, serrant contre elle son fils en un geste dérisoire de défense. Elle se mit à lui fredonner une berceuse, et dès lors ne le quitta plus du regard. Madeleine se rapprocha et joignit sa voix à celle de sa jeune sœur.

Toine attendait, prêt à courir donner ma commande à l'apothicaire. Ami de la famille, Pierre Frapin logeait dans la même rue et se lèverait sans difficulté pour chercher dans ses réserves les ingrédients dont j'avais besoin. À peine le valet eut-il le papier dans la main qu'il quitta la maison en trombe.

Pendant ce temps, Jean-Baptiste était resté immobile près de la fenêtre, comme fasciné par la nuit sale et brumeuse qui cachait Paris. J'allai à ses côtés et posai la main sur son épaule. Il ne se retourna pas.

– Daquin est passé aujourd'hui, dit-il.

Sa voix était plus grave et lente qu'à l'accoutumée.

– Daquin ? Et qu'a-t-il dit de l'état de Louis ?

J'espérais que ma voix ne trahissait pas tout le mal que je pensais de mon confrère.

Cette fois, Jean-Baptiste se retourna et me répondit d'un air tristement moqueur :

– De Louis ? Mais rien, mon ami, il est juste venu me réclamer son terme.

– Tu plaisantes ?

– Non, pas vraiment. Toine l'a fait entrer : je suis arrivé aussitôt, ému qu'il prenne la peine de venir voir mon fils. Un instant, j'ai même pensé que le roi savait, et que c'était lui qui avait envoyé son médecin. Mais j'ai vite déchanté : Daquin m'a réclamé le loyer d'un ton désinvolte, en me précisant que le bail finissait en octobre de l'an prochain et que d'ici là il fallait que je me procure un autre logement. Et quand je lui ai parlé de Louis, il m'a suggéré de le saigner.

Le saigner ? Comment pouvait-on suggérer de saigner un enfant de cet âge ? J'étais peu favorable à cette pratique qui consistait à pratiquer une incision au bras ou au pied du malade et à laisser le sang s'écouler. Parfois, c'était utile, mais l'expérience m'avait montré que cela fonctionnait mieux sur des hommes qui avaient tendance à abuser des viandes et des sauces. Mais pour un nourrisson ! Je haussai les sourcils et refusai de commenter cette nouvelle preuve de la stupidité de l'un de mes confrères. Nous gardâmes le silence jusqu'au retour de Toine.

Lorsqu'il rapporta les ingrédients que j'avais demandés, je mélangeai une infime dose de quinquina à de l'eau bouillie et demandai à Armande de faire absorber ce breuvage au nourrisson. J'avais peu d'espoir ; mais peut-être qu'en faisant baisser la fièvre je permettrais à ce petit être de retrouver assez d'énergie pour lutter contre la maladie. J'expliquai aux parents qu'il fallait maintenant attendre, que les heures à venir décideraient de la vie de leur enfant. Je leur offris de rester, mais Jean-Baptiste, tout en me remerciant, me pria de rentrer chez moi. Je leur donnai quelques instructions supplémentaires sur la conduite à tenir, précisai que, bien sûr, ils pouvaient m'envoyer chercher rue Beaubourg et saisis mon manteau, que Toine avait mis à sécher près du feu.

Au moment où je m'apprêtais à quitter la pièce, j'entendis Madeleine proposer d'annuler les répétitions prévues pour la matinée suivante. Comme la majeure partie de la troupe vivait dans l'immeuble, il lui suffisait de monter à l'étage au-dessus prévenir Catherine de Brie, une comédienne de la troupe : elle se chargerait d'informer les autres. Jean-Baptiste jeta un œil sur sa femme, qui tenait toujours le petit Louis dans ses bras, et répondit sèchement :

– Annuler ? Jamais, Madeleine. Quoi qu'il puisse arriver, on joue.

CHAPITRE 2

15 février 1665

« – Et pourquoi non ? Par quelle raison n'aurais-tu pas les mêmes privilèges qu'ont tous les autres médecins ? Ils n'ont pas plus part que toi aux guérisons des malades, et tout leur art est pure grimace. Ils ne font rien que recevoir la gloire des heureux succès, et tu peux profiter comme eux du bonheur du malade, et voir attribuer à tes remèdes tout ce qui peut venir des faveurs du hasard et des forces de la nature.

– Comment, Monsieur, vous êtes aussi impie en médecine ? »

Une tempête de rires secoua les spectateurs du théâtre du Palais-Royal. Il faut dire que Jean-Baptiste, affublé de ma vieille robe de médecin, était absolument incroyable ! Il jouait le rôle d'un valet, Sganarelle, qui accompagnait partout son maître, un certain Dom Juan, très amateur de femmes et qui, pour les séduire, promettait à toutes le mariage. Poursuivis par des maris en colère, les deux hommes s'étaient déguisés pour leur échapper.

De ma place sur la scène[1], j'avais du mal à voir le parterre, mais aux bruits qui montaient de la salle je me doutais bien que cette nouvelle pièce, *Dom Juan*, allait être un succès. Jean-Baptiste se tenait là, à deux pas de moi, et je peinais à le reconnaître tant il semblait entré dans la peau de son personnage. Autour de moi j'entendais des murmures flatteurs dans lesquels revenait toujours le nom de « Molière ». J'avais toujours autant de mal à me dire que ce Molière dont tous les spectateurs parlaient n'était autre que mon vieil ami Jean-Baptiste Poquelin… En le regardant plus attentivement, je remarquai quelques rides nouvelles dissimulées par le fard et ne pus m'empêcher de penser aux semaines qui venaient de s'écouler.

Nous ne nous étions guère revus depuis la mort du petit Louis. J'avais accompagné mon ami à l'enterrement de son fils, désolé de constater une fois

---

1. Jusqu'au milieu du XVIIIe siècle, il y avait sur la scène, à gauche et à droite des comédiens, un certain nombre de places, souvent réservées à des grands seigneurs.

de plus à quel point nous étions dépourvus, nous autres, les médecins, de moyens pour lutter contre la maladie. Incapable de parler, il m'avait longuement serré dans ses bras puis, au retour, s'était enfermé dans son cabinet de travail. C'était sans doute le seul remède contre sa peine. Il n'était passé à la maison qu'il y a deux jours, pour m'emprunter mon vieil habit noir, celui de mes débuts dans la médecine, et m'offrir deux places pour la première représentation de sa nouvelle pièce. En me quittant, il m'avait juste glissé : « Tu me diras ce que tu en penses, hein ? Comme toujours, sois sans pitié. Mais tu verras, j'en ai bien arrangé quelques-uns. »

De nouveaux rires me tirèrent de ma réflexion. Après une démonstration qui n'avait ni queue ni tête, Sganarelle s'était pris les pieds dans sa robe et s'était étalé sur la scène ! Comme il me l'avait annoncé, Jean-Baptiste en « arrangeait » quelques-uns, et parmi ceux-là il y avait les médecins ! Mon ami nous dépeignait comme des êtres dangereux, plus rapides à tuer le patient qu'à le remettre sur pied et dont l'art était « pure grimace ». Pure grimace ! Ça, c'était bien envoyé ! Je pensais à certains de mes confrères qui cachaient leur ignorance derrière de savantes paroles latines, conscients que ce jargon en imposait, et qu'ils pourraient ainsi soutirer le plus d'argent possible à leurs malades. Oui, décidément, Jean-Baptiste avait bien saisi tous leurs petits ridicules et il les exposait là, sur la scène, avec un talent fou !

Mais déjà le registre changeait et la scène suivante me fit dresser l'oreille ; j'entendis, dans la bouche du séducteur Dom Juan, des paroles qui me firent un peu froid dans le dos : « Un homme qui prie le Ciel tous les jours ne peut pas manquer d'être bien dans ses affaires » ! Il fallait voir la mine de Dom Juan prononçant ces paroles ! Sans parler du ton, qui était d'une incroyable insolence ! Non, je ne me trompais pas, c'était bien une attaque en règle contre l'Église. Par cette simple phrase, il suggérait un lien direct entre Dieu et l'argent ! Alors qu'il avait eu de sérieux ennuis l'année précédente avec *Le Tartuffe*, voilà que Jean-Baptiste recommençait à chatouiller ses ennemis avec cette nouvelle pièce… Mais la provocation ne s'arrêta pas là : Dom Juan enchaîna en voulant payer un pauvre pour l'obliger à dire des jurons[1] ! La salle éclata en applaudissements lorsque le pauvre refusa dignement l'offre qui lui était faite, mais il

----

1. Un juron, ou blasphème, est une insulte dirigée contre Dieu. Au XVIIe siècle, c'était un acte très grave.

me sembla bien que certains des grands seigneurs qui m'entouraient fronçaient les sourcils. J'aperçus notamment Daquin qui affichait un air dédaigneux, son éternelle grimace de bien-pensant coincée sur la figure. Compte tenu de sa position à la Cour, il digérait difficilement les attaques contre les médecins… Tant pis pour lui s'il ne pouvait rire à ses propres dépens !

Gemme, ma femme, assise à mes côtés, me pressa la main. Je compris qu'elle songeait à la même chose que moi : notre ami n'avait pas pu résister à son envie permanente, celle de montrer les ridicules de notre époque. Même avec tout son art, c'était un jeu particulièrement risqué. Je me promis de faire un saut en coulisse dès la fin de la représentation.

La suite de la pièce était aussi rythmée que le début. Je vis bien quelques-uns des spectateurs grincer des dents lorsqu'un personnage expliqua à Dom Juan qu'il ne suffisait pas d'être bien né pour être noble et que la noblesse se méritait : un jeune seigneur, assis à ma gauche, se pencha vers son voisin pour se faire expliquer ce que cela voulait dire ! Mais l'attention du public tout entier se porta sur la machinerie du dernier acte. Jean-Baptiste n'avait pas lésiné sur les effets scéniques. Pour punir Dom Juan, une statue surgit, au moyen d'une trappe habilement dissimulée dans les planches de la scène : pointant le grand seigneur du doigt, elle l'entraîna avec elle en enfer, sous les yeux ahuris de Sganarelle qui voyait ainsi s'échapper dans un nuage de fumée son maître et son salaire ! Un tonnerre de rires et d'applaudissements salua la disparition des acteurs.

Jean-Baptiste et sa troupe reparurent aussitôt sur scène, essoufflés, trempés de sueur, le maquillage coulant sous l'effet de la chaleur, celle de leur propre corps comme celle des feux de la rampe. La foule applaudissait à tout rompre. Je ne m'étais pas trompé, c'était un vrai succès... Gemme et moi laissâmes les spectateurs s'écouler lentement vers la sortie. Je savais qu'une poignée de jeunes gens, dans les plus aventureux, ne manqueraient pas de se diriger vers les loges des comédiennes, et qu'il me fallait attendre un peu pour voir tranquillement Jean-Baptiste.

Ma femme se pencha vers moi et dit d'un ton paisible :

– Une fois de plus, quel talent ! Mais tu ne crois pas que Jean-Baptiste court droit vers les ennuis ?

Je restai quelques instants sans lui répondre, absorbé par le spectacle de la salle. Il n'y a rien de plus étonnant qu'un théâtre qui s'est vidé.

On dirait une plage à marée basse, lorsque les flots se sont retirés : il demeure sur le sable bien des morceaux de bois et des filets de pêcheur enchevêtrés. Ici, entre les sièges, gisaient des mouchoirs et des cornets… La distributrice de liqueurs et de confitures repliait ses bouteilles dans de grands paniers : elle vérifia le niveau de ses vins d'Espagne et de Rivesaltes, puis reboucha soigneusement une bouteille de rosoli. Depuis que le roi avait déclaré en boire avant chaque repas, la boisson était devenue à la mode et chacun se plaisait à en absorber.

Gemme me toucha le bras et je me rendis compte que je n'avais pas répondu à sa question. À chaque fin de spectacle, je peinais à quitter le monde dans lequel la magie du théâtre m'avait fait pénétrer. Je me retournai vers elle et lui souris.

– Pardonne-moi, lui dis-je. Tu me demandais si Jean-Baptiste allait encore avoir des ennuis ? Hé bien, il est vrai que ses pièces attaquent beaucoup de gens, mais en même temps elles sont si drôles ! Je suis toujours surpris qu'on ne les regarde pas avec plus d'indulgence. Cependant, avec la scène du pauvre, il est peut-être allé très loin… Et encore, c'est celle qui m'a le plus frappé, mais toute sa pièce fourmille de petites piques lancées contre le parti dévot[1]. C'est une position dangereuse… Allons dans sa loge, nous pourrons en parler avec lui.

Nous attendîmes encore pour être sûrs de le voir seul. Dans le silence qui s'était fait peu à peu, des coups de marteau retentirent : sur scène, les machinistes s'affairaient à consolider le décor tandis qu'un jeune gamin soufflait une à une les bougies de la rampe. Nous nous levâmes et gagnâmes presque à tâtons l'escalier qui menait aux loges. Alors que je m'apprêtais à l'emprunter, une voix aux accents coléreux se fit entendre. Deux hommes ne tardèrent pas à surgir au-dessus de nous. L'un d'eux semblait furieux. Avec une violence qui me laissa pantois, il s'écria dans le noir :

– Je l'écraserai, ce n'est qu'un ignoble petit pourceau qui se donne de grands airs ! Il finira sous mon talon, je vous le jure. Mais qui est-il pour attaquer à la fois la médecine et la religion ? Ce n'est qu'un bouffon, un bouffon ridicule !

L'autre lui répondit :

– Peut-être, mais il a l'oreille du roi !

– L'oreille du roi ? Rien, il n'a rien, juste le devoir

---

1. Parti proche du pape, qui essayait d'influencer le roi pour l'amener à une application plus sévère des principes religieux.

de faire rire… Venez, rentrons, j'étouffe tellement que seule une saignée pourrait m'éviter un transport de colère au cerveau ! Et en plus on ne voit rien dans cette arrière-boutique ! Un coupe-gorge, les théâtres sont des coupe-gorge qui devraient être fermés !

Inquiet de cette rage, j'avais plaqué Gemme contre le mur, au pied de l'escalier. Au moment où les deux hommes passaient devant nous sans que nous puissions distinguer leurs traits, une bouffée de parfum atteignit mes narines. Du musc, de l'iris peut-être ? Une odeur forte, comme celle que les grands seigneurs portent à la Cour. Déjà ils s'éloignaient, heurtant sans doute un enfant, car on entendit un cri aigu, suivi d'une grossièreté.

– Quelqu'un est-il blessé ? demanda Gemme de sa voix calme.

C'était moi le médecin, mais c'était elle qui se préoccupait d'éventuelles blessures.

– Non, ça va aller, m'a bousculé et m' suis brûlé avec la cire encore chaude, répondit une voix juvénile.

Quelques secondes après, une lanterne illuminait le bas de l'escalier où nous nous tenions toujours, Gemme et moi. Un jeune garçon nous faisait face. La lanterne éclairait les mèches brunes échappées du ruban noir qui retenait ses cheveux. Je reconnus celui qui éteignait les bougies de la rampe.

– Mais j' vous connais ! s'exclama-t-il. Vous êtes l'ami de monsieur Molière, le docteur, celui avec qui il a fait les quatre cents coups quand il suivait des cours de philosophie, hein ?

Je devinai, plutôt que je ne vis, le sourire de ma femme. Il est vrai que je ne m'étais pas étendu auprès d'elle sur ma vie d'étudiant, et que je partageais avec Jean-Baptiste de bons souvenirs de cette période... Je décidai de couper court, ne sachant pas trop ce que mon ami avait raconté de nos frasques.

– Bon, bon... Aurais-tu la gentillesse d'éclairer notre chemin jusqu'à sa loge ?

– Pour sûr, suivez-moi, il va vraiment être content d' vous voir !

Tandis que nous montions les marches, je lui demandai :

– Connais-tu ceux qui t'ont bousculé ?

– Non, vraiment pas, répondit-il. J'ai bien vu qu'un des deux était franchement énervé, mais j' sais pas qui c'était. De toute façon, à chaque représentation, c'est la même chose ! Y a toujours un furieux qui menace de tout faire interdire... Parfois ça réussit. Avec *Tartuffe*, on n'a pas tenu longtemps l'affiche...

V'là la porte de la loge. J' vous laisse, hein, parce que faut qu' j'aille vérifier, des fois qu'on aurait laissé une bougie allumée… C'est qu' c'est un travail sérieux que d' veiller aux lumières, faudrait pas qu' le feu y s'y mette, parce qu'après c'est la misère ! Allez, bien le bonsoir, hein !

Le jeune garçon disparut, et avec lui sa lanterne.

Une quinte de toux terriblement sèche se fit entendre dans la loge. Je frappai à la porte.

CHAPITRE 3

– **A**lors, crois-tu que je les ai suffisamment arrangés ? Tu…

Une nouvelle quinte interrompit Jean-Baptiste. Affalé dans un vieux fauteuil, il tenta de faire cesser avec son mouchoir la toux qui le pliait presque en deux. Je fis un pas pour l'aider, mais il m'éloigna d'un geste. Se levant, il ouvrit à sa droite une petite porte et s'engouffra dans l'espace qu'elle dissimulait. Armande, qui pliait un costume dans une malle, en rabattit le couvercle et me regarda, étonnée.

– Tu arrives et il s'éclipse ! s'exclama-t-elle. Il a dû avaler quelque chose de travers !

Elle troussa sa jupe et enjamba la malle.

– Je suis tellement heureuse de vous voir, tous les deux. Alors, cette pièce ? Un succès, n'est-ce pas ? Vous avez remarqué les décors ? C'est la première fois qu'on passe un contrat avec des peintres ! Il faut dire qu'il y avait un drôle de travail à faire pour terminer tout ! Je suis désolée, mais les loges sont petites ici, à peine de quoi se retourner, ça serait mieux si…

Une autre quinte secoua la cloison. Armande se pencha à demi et, frappant du poing sur le bois, cria :

– Jean-Baptiste, tu fais trop de bruit, Armand et Gemme n'entendent pas ce que je dis !

Puis, nous faisant face, les poings sur les hanches, elle ajouta :

– Non mais c'est vrai, quel ours ! De la visite et il se cache !

Elle sourit et reprit son babillage, exagérant les murmures flatteurs qui avaient entouré son apparition sous les traits d'une jeune paysanne, tandis que la toux de son mari transperçait de nouveau l'épaisseur du mur. Je sentis que ma femme, dont je serrais l'épaule, se raidissait. Elle aimait beaucoup Jean-Baptiste et avait été très surprise du choix qu'il avait fait d'épouser Armande. Après l'avoir rencontrée, elle m'avait simplement dit : « Elle ne le vaut pas. Il n'a pas fini de souffrir. »

On frappa, et Armande se précipita pour ouvrir. Quelques éclats de rire, un chuchotement, et elle sortit en refermant la porte derrière elle.

Gemme et moi nous regardâmes, interloqués.

Alors que je m'apprêtais à commenter son départ,

un bruit sourd, suivi d'un faible gémissement, retentit dans le fond de la pièce. Je bondis vers l'endroit où avait disparu mon ami et ouvris en grand la porte dérobée. C'était un genre de garde-robe, une pièce plus petite encore que la loge, encombrée de costumes de scène pendus à des cintres. Jean-Baptiste gisait sur le sol, à côté d'un tabouret renversé. Je m'agenouillai à ses côtés, bousculant une corbeille de fruits peinte sur un carton. Il respirait difficilement et un peu d'écume rosée maculait ses lèvres.

– Gemme, aide-moi, il est évanoui !

Ma femme étouffa un cri et, relevant comme elle le pouvait ses robes, pénétra à son tour dans le réduit.

– Attrape ses jambes et tire-le vers toi, il faut le sortir d'ici !

Moi poussant et elle tirant, nous arrivâmes à l'extirper de la garde-robe. Je défis les lacets qui fermaient le haut de son pourpoint pour lui donner un peu d'air, pendant que Gemme trempait son mouchoir dans une cruche posée sur la table. Le contact de l'eau le fit frissonner, et quelques instants après il ouvrait les yeux.

– Jean-Baptiste, c'est moi, Armand. Reste allongé, tu as eu une faiblesse, il te faut reprendre tes esprits.

Tout en prononçant ces paroles rassurantes,

j'examinais mon ami. Ce que j'avais vu sur scène se confirmait : une fois démaquillé, son visage accusait une fatigue certaine, bien supérieure à celle liée à l'âge. La mort du petit Louis n'était sans doute pas étrangère à cela : j'avais compris que le silence dont il s'était entouré à ce moment-là n'était qu'une manière de dissimuler l'étendue de sa souffrance. Il bougea un peu, fronçant les sourcils, puis tenta de se redresser. Gemme attrapa dans un coin de la loge un ballot de vêtements qu'elle cala derrière sa nuque. Il ne disait toujours rien, mais peu à peu ses yeux reprenaient vie. Il me fixa et je vis un sourire se dessiner sur ses lèvres. D'une voix râpeuse, il articula :

– Armand ? Pas mal, ton costume...

J'en restai ahuri. Mais de quoi me parlait-il ? Peut-être son cerveau avait-il été abîmé dans sa chute, et dans ce cas je savais qu'il ne fallait guère contrarier le malade. Je réfléchissais rapidement à ce qu'il convenait de faire, lorsque je croisai le regard de Gemme, qui éclata de rire. Jean-Baptiste émit un bruit qui, s'il tenait surtout du croassement, exprimait en tout cas la gaieté.

À voir leurs yeux fixés sur ma tête, un soupçon me vint : je tâtai ma perruque, un modèle juste sorti des ateliers, et constatai qu'elle avait été sérieusement mise à mal par mes derniers mouvements. J'allais l'arranger, lorsqu'il me sembla qu'en prime quelque chose y était suspendu. Enlevant ces faux cheveux de mon crâne, je découvris avec horreur une jarretière[1] à nœuds roses prise dans les boucles qui m'avaient coûté si cher. Un nouveau râle m'inquiéta : Jean-Baptiste ne parvenait plus à respirer tant il riait. Si je fus rassuré par l'étincelle malicieuse qui brillait dans ses yeux, je le fus moins quand je découvris ma femme qui mordait son mouchoir pour garder une contenance.

C'était évident, je m'étais encore une fois couvert de ridicule. Comment être un mari respecté quand votre épouse rit autant de vous ? Je jetai au loin l'objet du délit, mais le regard courroucé que je lançai sur les deux rieurs ne fit que redoubler leurs gloussements. Ignorant Gemme, je dis d'un ton pincé :

– Je vois que dès qu'il s'agit de te secouer la panse, Jean-Baptiste, tu n'es plus prêt à mourir.

– Que veux-tu, je me presse de rire de tout…

Sa voix était loin d'avoir retrouvé sa profondeur, mais la couleur revenait à ses joues. Il se redressa et

---

1. Une jarretière est un ruban placé au-dessus du genou et qui sert à maintenir les bas.

s'appuya sur le ballot de vêtements qui lui avait servi d'oreiller.

– Merci, mes amis, j'ai juste voulu m'éloigner pour ne pas vous importuner avec ma toux, mais d'un coup j'ai eu la sensation que la tête me tournait. Sans doute le manque d'air… Allons, asseyez-vous à mes côtés, attrapez ces coussins qui traînent et venez me conter vos impressions. Bon, mon *Dom Juan* ?

Ah, c'était bien une idée de baladin de s'étaler dans la poussière alors que des sièges confortables nous tendaient les bras ! Alors que je m'arrangeais comme je pouvais sur le sol, ma réponse fusa :

– Brillant mais imprudent !

– « Brillant mais imprudent » ? C'est tout toi : deux mots et le portrait est fait ! Permets-moi de savourer le premier adjectif, « brillant », comme si je pouvais éclairer ! Pour le reste, ma foi… tu trouves qu'on ne rit pas ?

Le ton était inquiet. Je réfléchis quelques instants avant de lui répondre.

– Bien sûr qu'on a ri, et aux éclats, tu l'as bien entendu. Beaucoup de choses sont drôles dans ta pièce, et ton personnage de Sganarelle est étourdissant.

Je ne savais pas vraiment comment préciser le

reste. Gemme restait silencieuse, mais elle m'encouragea du regard.

– Mais ?

– Mais tu vas trop loin, Jean-Baptiste ! L'an dernier, *Le Tartuffe* a été interdit, la Compagnie du Saint-Sacrement[1] t'a livré une guerre épouvantable, ils ont commencé avant la première représentation ! Tu ne peux plus jouer cette pièce parce que en haut lieu on a jugé qu'elle ridiculisait l'Église, et six mois après tu recommences avec ton *Dom Juan* ? Sans compter la manière dont tu attaques les médecins : j'avais Daquin en face, sur la banquette, et je t'assure que la fureur lui sortait par tous les orifices ! Méfie-toi, Jean-Baptiste, tes ennemis sont puissants, ils logent bien près du trône !

Ma harangue sembla le ragaillardir. Il attrapa la jarretière que j'avais jetée à terre et la brandit sous mon nez.

– Oui, ils sont près du trône, mais ils n'ont pas l'oreille du roi. Ils forment un groupe auprès de la reine mère, Anne d'Autriche ; ils n'apprécient guère

---

1. La Compagnie du Saint-Sacrement est une société secrète fondée en 1627. Soutenue par Rome, elle était un moyen pour le pape de savoir ce qui se passait en France et veillait au respect des interdits religieux.

la liberté de notre roi, surtout en matière de femmes. Ils le trouvent trop jeune, trop près des arts, trop occupé par la construction de son Versailles. Quant à moi, je ne suis à leurs yeux qu'un comédien, un être négligeable, mais qui a du succès. Le roi, lui, sait ce que je fais, il connaît la valeur de mon travail, et il me défendra ! Tu me parles de Daquin ? Il a le titre de médecin du roi, et pour le reste ce n'est qu'un vulgaire boutiquier qui court derrière ses loyers !

Je savais bien qu'il pensait à cet instant à leur dernière entrevue, quelques heures avant la mort de Louis. Il en voulait terriblement à Daquin de son indifférence, de cette morgue incroyable qui l'avait amené à lui réclamer un loyer alors que son enfant se mourait.

L'expression « l'oreille du roi » me remit en mémoire la conversation que j'avais entendue juste avant d'entrer dans la loge. Il fallait que je sache qui avait parlé ainsi. Quoi que Jean-Baptiste puisse dire, ses ennemis étaient plus dangereux qu'il ne voulait bien le croire.

Je tentai de reprendre le débat, mais il leva la main pour m'interrompre.

– Allons, mon ami, je t'assure que de ce côté-là les choses ne sont pas si terribles que ce que tu veux bien imaginer. Les dévots me verraient brûler vif avec un certain plaisir, ils ont réussi à interdire mon *Tartuffe*, mais je ne lâche pas l'affaire, cette pièce vivra. *Dom Juan*, c'est une réponse que je leur envoie, une réponse rapide, que j'ai eu peu de temps pour travailler. C'est mon silence qui les sert le plus, alors, crois-moi, ils n'ont pas fini de m'entendre ! Tiens, aide-moi à me lever, Esculape !

Je souris à ce surnom. À l'époque de notre folle jeunesse, nous avions ensemble suivi les cours de Gassendi. Ce philosophe, ami de Galilée, avait refusé d'être le précepteur du jeune Louis XIII pour mieux se consacrer à ses travaux. Il avait admis autour de lui un groupe de jeunes gens dont nous faisions partie avec Chapelle, Cyrano de Bergerac et quelques autres. C'est là que Jean-Baptiste avait commencé à m'appeler Esculape, du nom du dieu romain de la médecine, parce que j'avais décidé de me consacrer aux soins des corps en laissant aux prêtres et aux philosophes celui des âmes.

Gemme m'avait aidé à relever Jean-Baptiste et à l'installer dans le fauteuil. Son souffle s'était apaisé, mais il rendait toujours un son rauque qui me déplaisait fortement. Je ne voulais pas l'ausculter devant ma femme, aussi le priai-je de passer me voir à l'occasion.

Il acquiesça, puis demanda où était passée Armande. Gemme me devança :

– On est venu l'appeler tout à l'heure, elle était fort peinée de te laisser ainsi. C'est nous qui lui avons dit d'aller où on la mandait et de ne pas s'inquiéter.

Ce gros mensonge fut débité d'un ton tout à fait naturel. Armande était sortie en trombe, sans que la santé de son mari ou notre entrée dans la loge ne la retienne ! Jean-Baptiste regarda ma femme un instant, pencha la tête sur le côté et lui dit gentiment :

– Gemme, tu es la perfection faite femme ! J'apprécie beaucoup ton adorable tentative de mensonge…

– Mais, je t'assure… balbutia-t-elle, tandis que la couleur envahissait ses joues.

– Ah, tu rougis comme une jeune mariée ! Non, vraiment, tu es parfaite, je songerai à toi lorsque j'écrirai un personnage d'ingénue…

Nous ne sûmes quoi lui répondre. Il resta songeur, triturant dans ses grandes mains la jarretière rose qu'il tenait toujours.

– Elle la portait lors de *La Princesse d'Élide*, à Versailles, l'été dernier. J'avais créé ce rôle pour elle. Elle était si belle… La Cour n'avait d'yeux que pour elle. C'est là qu'elle l'a rencontré, son Armand de

Gramont. Je ne suis pas idiot, vous savez. J'ai bien compris. Elle est jeune, plus jeune que nous, elle a un autre regard sur le monde… J'ai quarante-trois ans, elle en a vingt-cinq : que voulez-vous que je vous dise ?

Il avait raison, il n'y avait pas grand-chose à ajouter. Je lui demandai une nouvelle fois de passer me voir pour que je puisse écouter sa poitrine, lui conseillai, en pure perte, de se reposer et de ménager ses ennemis, et finis par le quitter en lui disant de nouveau à quel point sa pièce était brillante.

CHAPITRE 4

Jean-Baptiste passa à la maison, rue Beaubourg, quelques jours plus tard. Voyant que la visite s'éternisait, Gemme envoya des cuisines de quoi nous restaurer : un cruchon de vin, une belle tourte encore chaude et des confitures sèches. Alors que nous nous installions tous deux dans mon cabinet, les enfants restèrent dans le salon avec ma femme : je craignais que la vue de nos trois garçons n'attriste mon ami.

Nous ne parlâmes pas d'Armande, mais du *Festin de pierre* – puisque c'était finalement le titre de son *Dom Juan* – et de sa troupe. Je me plaignais parfois de mes patients, mais vraiment, en l'écoutant, je mesurais à quel point ils étaient dociles par rapport aux comédiens. Quelle engeance ! Sujets à de terribles angoisses, querelleurs, vaniteux, d'une susceptibilité maladive, et cela qu'ils soient hommes ou femmes. Le récit de leurs incessantes disputes me donnait le tournis ! Jean-Baptiste, en tant que directeur, devait choisir quelles pièces étaient jouées – les siennes ou celles des autres auteurs – et organiser les répétitions. En plus de cela, il distribuait les rôles, arbitrait les conflits, pensait les décors, les commandait et vérifiait leur bonne exécution. Il me confia que depuis l'an dernier c'était La Grange, l'acteur qui avait tenu le rôle de Dom Juan, qui s'occupait des comptes. Il me parla de René Du Parc, dit Gros-René, mort peu de temps avant Louis. Jean-Baptiste et lui avaient tout partagé, les scènes misérables de province, les théâtres miteux, les succès d'estime et les dîners arrosés. Il se plaignit ensuite des difficultés extérieures, des brouilles avec les autres troupes, des amitiés et inimitiés politiques…

J'allais lui demander quand il trouvait le temps d'écrire ses pièces, lorsque arriva le sujet des concurrents, ceux qui, tout comme lui, réclamaient pensions, charges et faveurs diverses que le trône accordait avec parcimonie. Mon ami évoqua ses querelles déjà anciennes avec Pierre Corneille, la manière dont celui-ci l'avait discrédité en expliquant à tous que ses comédiens n'étaient bons que pour les « bagatelles » et qu'ils ne savaient pas mettre en valeur les tragédies. Il était tellement indigné en évoquant ces critiques qu'il me souffla au nez des miettes de la tourte à la truite qu'il enfournait avec régularité depuis le début de notre conversation.

Tout en brossant de la main le revers de ma veste d'intérieur, je lui fis la remarque suivante :

– Corneille peut bien parler de « bagatelles » à propos de tes œuvres et en médire plus ou moins discrètement. Il n'empêche que ta troupe est devenue celle de Monsieur, le frère du roi, Philippe d'Orléans, et que tu as réussi cela grâce à la qualité de ton travail.

– Certes, mais cela n'empêche personne de me critiquer, au contraire ! La tragédie reste le genre noble, tu le sais bien. Et si tu crois qu'être la troupe officielle du frère du roi me protège de quoi que ce soit, tu te trompes. Tout est objet de rumeurs et de malveillance, de mon travail à ma vie privée. Regarde ce qu'ils n'ont pas hésité à inventer sur Armande et moi !

Je ne répondis pas. Bien sûr que j'avais entendu ce qui s'était murmuré au moment de son mariage avec Armande Béjart : les feuilles les plus infamantes avaient fleuri dans Paris, l'accusant de tout et n'importe quoi.

Jean-Baptiste gratta de l'ongle une tache de sauce qui ornait sa manche, puis, relevant les yeux, me dit :

– Tu sais ce qui m'a fait le plus mal ? C'est que cela vienne d'un comédien, de Montfleury, celui qui travaille dans la troupe de l'Hôtel de Bourgogne. C'est lui qui a répandu le bruit qu'Armande était ma fille, une fille que j'aurais eue avec sa sœur Madeleine. Tu imagines ? Il a quand même raconté que j'avais épousé ma propre fille…

– Jean-Baptiste, toutes les gazettes se gargarisaient de ce qu'il avait écrit au roi, mais chacun a vite compris que ce n'était qu'une vengeance. Il était furieux du succès que tu avais avec *L'École des femmes*. Et n'oublie pas, le roi t'a bien soutenu dans cette affaire…

Il sourit tristement et attrapa d'un geste rapide le dernier morceau de tourte. Notre roi avait accepté d'être le parrain de son premier enfant, celui-là même que nous avions enterré quelques mois auparavant. C'est en cet honneur que le pauvre garçonnet s'était appelé Louis. En acceptant la charge de parrain, le souverain balayait d'un geste les rumeurs qui avaient couru sur le mariage des deux comédiens.

Il est vrai que les choses étaient un peu compliquées à comprendre : Jean-Baptiste avait été longtemps l'amant de Madeleine, avant d'épouser sa jeune sœur. Je ne savais pas s'il avait gagné au change :

plus les mois passaient, plus Armande semblait être querelleuse et lui malheureux.

Pour effacer les nuages que je voyais s'amonceler sur le front de mon ami, je changeai de sujet et lui demandai d'ôter en partie sa chemise, afin que je puisse écouter son souffle. Il protesta un peu, puis se laissa faire. Je collai mon oreille avec application sur son large dos, tapai du plat de la main, écoutai à nouveau, le priai de tousser. J'entendais un léger bruit, mais je peinais à l'identifier.

Au bout d'un moment, exaspéré, il rabattit brutalement sa chemise et me somma de lui expliquer ce que j'écoutais avec autant d'attention. Un peu étonné, je lui répondis :

– Ben, tes poumons, ce sont tes poumons que j'écoute.

– Comment ça, mes poumons ?

– Hé bien, je ne sais comment te le dire, mais ce sont vraiment tes poumons.

Avec un soupçon d'impatience dans la voix, il répliqua :

– Mais pourquoi mes poumons ?

– J'écoute tes poumons parce que tu respires mal, et que la dernière fois que je t'ai vu, étalé par terre, tu bavais une écume rosée qui me paraissait être d'origine pulmonaire ! Enfin, je ne vais pas écouter ton foie ou tes reins si c'est ta respiration qui m'intéresse ! C'est l'évidence même !

– Même un mauvais médecin saurait cela ?

Son œil luisant m'avertit que l'animal avait quitté le champ de la médecine pour entrer dans celui de la comédie. Je le menaçai de l'index.

– Jean-Baptiste, si tu me fais entrer par un bout ou un autre dans une de tes comédies, je te donne ma parole que je ne te soignerai plus et que tu iras consulter chez mes confrères, qui se hâteront de t'assassiner à coups de saignées ou de purgatifs ! Je te garantis qu'après la scène de *Dom Juan* où tu te moques d'eux ils sont prêts à créer une confrérie dont le but sera de faire disparaître le grand Molière !

La main sur le cœur, il me jura que jamais il ne me ferait un coup pareil, qu'il venait juste d'entrevoir là une possibilité de scène dont il riait à l'avance.

Avant qu'il ne s'embarque de nouveau sur son terrain préféré, je lui signalai que j'entendais un petit quelque chose dans son poumon gauche. Sans doute trois fois rien, mais il convenait tout de même qu'il prenne quelques jours de repos.

– Me reposer ? Tu en as de belles ! Tu as une idée de combien j'ai été obligé de débourser pour les décors de ma pièce ? Pour l'instant, l'argent rentre, mais ce n'est pas le moment de fermer mon théâtre, crois-moi.

Sautant du coq à l'âne, comme il le faisait souvent, il me proposa de l'accompagner à la Cour, où il devait se rendre le lendemain. J'hésitai un instant : mon poste de professeur de botanique à la Faculté de médecine ne me prenait pas beaucoup de temps, mais je ne savais si à la Cour je me sentirais à mon aise. Il insista, me promettant un divertissement des plus agréables.

– Ma foi… Mais je te regarderai agir de loin : je n'ai pas mes entrées auprès de Sa Majesté. Au fait, pourquoi dois-tu t'y rendre ?

– À la mort de mon frère, il y a cinq ans, j'ai repris la charge qu'avait achetée mon père, celle de tapissier et valet de chambre du roi. Je l'assume par quartier, c'est-à-dire tous les trois mois. Et là, c'est mon tour… Cela me permet de m'assurer que ma position à la Cour n'est pas menacée. J'ai beau n'être qu'un saltimbanque, j'ai compris que le soutien royal méritait un peu d'entretien. Les pensions ne poussent pas sur les arbres et je ne puis comme toi tuer de temps à autre un patient !… Pour tout t'avouer, et c'est là la petite douceur que je nous souhaite, il me plairait fort de croiser mon propriétaire, Louis Henri Daquin. Si j'en crois ce que tu m'as raconté, il a mal digéré le menu que je lui ai servi dans mon *Dom Juan*. J'espère que les répliques qui touchent la médecine et les médecins lui ont provoqué des aigreurs d'estomac et que je le verrai demain avec le teint jaunâtre des hépatiques…

J'éclatai de rire. Nous convînmes d'une heure pour nous retrouver, puis Jean-Baptiste se leva, me serra dans ses bras en me disant de saluer Gemme et les garçons, et s'en alla. À peine était-il parti que ma femme passa une tête curieuse dans mon cabinet.

– Alors, comment va-t-il ?

– Gemme Mauvillain, née Cornuty, tu es une vraie pie ! Comment ai-je pu épouser une femme aussi fouineuse ?

À leur tour, les enfants se glissèrent sous le chambranle de la porte. Le petit dernier, Nicolas, n'avait que deux ans, mais il suivit en se dandinant ses frères, qui vinrent se jeter dans mes bras.

Gemme et moi passâmes la soirée à jouer avec eux. Je les contemplais, débordants de santé, rouges et un peu excités par les tours que nous imprimions à une toupie. À cette vision, je remerciai Dieu du cadeau qu'il m'avait accordé avec une aussi belle famille.

Le lendemain, comme il me l'avait promis,

Jean-Baptiste passa me chercher. Il était tôt, car il avait décidé que nous devions être au côté du roi pour son petit lever. Notre servante alla lui ouvrir et revint tout émue.

– Monsieur, c'est monsieur Poquelin qui vous demande, même que je l'ai pas reconnu tant il est beau !

La remarque n'avait pas échappé à Jean-Baptiste, qui entra en bombant le torse : il n'était pas homme à négliger un petit compliment.

– Mais dis-moi, tu n'es pas mal non plus, à ce qu'il me semble ! me lança-t-il.

Sur les instances de Gemme, j'avais apporté un grand soin à ma tenue : j'arborais, tout comme mon ami d'ailleurs, une rhingrave[1] en soie noire du plus bel effet. Le devant de mon pourpoint était richement brodé, et ses manches s'ornaient de délicates garnitures dont j'étais particulièrement fier. Ma perruque était bouclée à la dernière mode, mon chapeau orné d'une plume de faisan, et lorsque je baissais les yeux, je voyais la parfaite symétrie des nœuds de mes souliers.

_____

1. C'est le nom donné à la culotte très large portée par les hommes au XVIIe siècle.

Jean-Baptiste était habillé de la même manière, mais il y avait encore plus de broderies sur son pourpoint. Il fit bouffer d'un air avantageux les frisures qui ornaient ses manches et m'expliqua que cela se nommait des « petites oies ». Il tâta en connaisseur la matière de mon costume : tout comédien qu'il était, il n'oubliait jamais qu'il avait été élevé au milieu des soies, des brocarts et des satins par son tapissier de père. Il avait d'ailleurs gardé le goût des belles étoffes.

En nous regardant ainsi parés, il me vint une pensée à propos de notre siècle et des vêtements que la mode nous dictait : fallait-il que Louis le Quatorzième ait une personnalité forte pour imposer des costumes aussi extravagants après la rigueur et la simplicité du règne précédent !

Les vers que mon ami avait écrits au roi pour le remercier d'une pension de mille livres ressurgirent dans ma mémoire. Je me campai au milieu de la pièce et me mis à réciter :

– À ma muse :

« Et vous ferez votre cour beaucoup mieux
Lorsqu'en marquis vous serez travestie.
Vous savez ce qu'il faut pour paraître marquis ;
N'oubliez rien de l'air ni des habits ;

Arborez un chapeau chargé de trente plumes
Sur une perruque de prix »…

Jean-Baptiste se rapprocha de moi et, attrapant le rabat de ma veste, ajouta :

– « Que le rabat soit des plus grands volumes,
Et le pourpoint des plus petits[1] ».

Nous éclatâmes de rire comme deux collégiens. Au regard pétillant de Jean-Baptiste, je compris qu'il était touché que je sache encore des vers qu'il avait écrits deux ans auparavant.

Les enfants, attirés par nos rires, passèrent des têtes curieuses dans la pièce et se montrèrent impressionnés par nos tenues. Après avoir reçu moult compliments, nous partîmes pour le Louvre.

----

1. Ces vers sont extraits du *Remerciement au roi*, écrit par Molière en 1663.

CHAPITRE 5

Lorsque c'était son tour à la Cour, Jean-Baptiste se devait d'être au petit lever, c'est-à-dire à la première des cérémonies qui rythmaient la vie du monarque. À l'entendre, son rôle se bornait à faire le lit du roi, à tapoter ses oreillers et à vérifier l'état des tapisseries dans les appartements royaux.

Tandis que nous cheminions vers le Louvre, je lui demandai ce qu'il pensait de ce curieux travail. Il me répondit de manière évasive, mais insista sur le plaisir qu'il avait à tâter de jolies matières et à vérifier la façon d'une passementerie.

– Que veux-tu, Armand, on ne se refait pas… J'aurais pu faire carrière comme mon père dans le métier de tapissier, si je n'avais un jour croisé Thalie et Melpomène[1]…

---

1. Parmi les neuf Muses, ces divinités qui selon les Grecs inspiraient les artistes, Thalie est la muse de la comédie et Melpomène celle de la tragédie.

À l'approche du Louvre, la foule se faisait plus dense. Pour atteindre le pavillon du Roi, il nous fallut tout d'abord traverser la salle des Caryatides, dans laquelle mon ami avait présenté sa première pièce à notre souverain, qui n'avait alors que vingt ans ; puis, jouant des coudes, emprunter un énorme escalier créé par Henri II une bonne centaine d'années auparavant. On voyait encore sur le plafond ses initiales, mêlées à celles de Diane, la déesse chasseresse.

Je pus vérifier à quel point certains vers que Jean-Baptiste avait écrits en 1663 étaient exacts : près des appartements royaux, la presse se faisait plus intense encore, et il ne fallait pas hésiter à écraser des pieds pour pouvoir avancer.

Trempés de sueur, le pourpoint de travers, nous arrivâmes enfin à bon port, après avoir à moitié éborgné avec les plumes de nos chapeaux une bonne partie de l'assistance. Jean-Baptiste héla l'huissier qui défendait l'accès à la chambre où se déroulait la cérémonie du petit lever. Ils se connaissaient bien sans doute, car ce dernier, dès qu'il nous vit, envoya deux de ses camarades nous prêter main-forte pour franchir les derniers mètres.

Je n'avais aucun droit à pénétrer dans cette chambre, mais Jean-Baptiste prit les choses en main avec une pièce d'or qui, en changeant discrètement de propriétaire, fit des merveilles. Il me conduisit à un placard, en partie grillagé, dans lequel étaient rangées des tapisseries. De ce refuge, je voyais parfaitement le lit d'apparat de notre roi. Le cœur me battit un peu plus fort. Certes, j'avais déjà aperçu notre monarque, mais là, j'allais être à quelques mètres de sa personne ! Je savais qu'il ne dormait pas dans cette pièce, mais dans une chambre située derrière celle-ci.

Pendant que je patientais dans mon réduit, Jean-Baptiste ne restait pas inactif : il inspecta la literie, caressa de la paume la soie brochée qui couvrait le lit et se mit à genoux pour vérifier les cordons qui serraient le traversin. C'est à ce moment que le roi fit son entrée.

Bien que je l'aie déjà aperçu, je fus à nouveau surpris par sa taille : il était vraiment très grand, environ six pieds, dépassant d'une bonne tête ceux qui l'entouraient[1]. Il n'en était pas pour autant gauche, bien au contraire. On sentait qu'il était vigoureux, rompu aux exercices du corps.

Découvrant Jean-Baptiste accroupi, il lui lança :

----

1. Le journal de santé de Louis XIV précise que le roi mesurait exactement cinq pieds huit pouces, soit environ 1,85 m.

– Hé bien, monsieur de Molière, on cherche l'inspiration sous le lit ?

Mon ami se releva, confus, tandis qu'autour du roi les courtisans laissaient échapper quelques rires.

– Pardon, Sire, je n'imaginais pas…

– Monsieur mon tapissier, cela n'a aucune importance. Venez donc près de moi, nous avons à causer.

Et, s'installant sur le lit que Jean-Baptiste venait de lisser, il lui fit familièrement signe de la main pendant qu'on approchait une petite table déjà garnie. Jean-Baptiste s'était écarté, un peu gêné. Le roi laissa son regard tomber sur lui et j'entendis alors ces paroles extraordinaires sortir de sa bouche :

– On dit que vous faites maigre chère ici, Molière, et que les officiers de ma chambre ne vous trouvent pas fait pour manger avec eux. Vous avez peut-être faim, moi-même, je m'éveille avec très bon appétit. Mettez-vous à cette table et qu'on me serve mon encas de nuit.

Jean-Baptiste, abasourdi, obéit sans un mot. Le roi lui découpa une cuisse de poulet, se servit copieusement et commanda qu'on ouvre les portes.

Quand ses familiers entrèrent, ils virent Louis XIV attablé avec Jean-Baptiste, tous deux plongés dans une grande conversation. Le roi leva les yeux et, désignant mon ami du bout de pilon qu'il tenait à la main, leur dit :

– Vous me voyez occupé à faire manger Molière, que mes valets de chambre ne trouvent pas assez bien pour eux.

Tous rirent et louèrent, hypocritement, la bienveillance du monarque. De mon petit placard, je perçus, tout comme le roi sans doute, l'envie et la fureur se peindre sur les visages. J'imaginai sans peine ce qui pouvait passer par la tête de ces grands seigneurs : un comédien attablé avec un roi ! C'était incroyable !

Lorsque ce petit repas fut terminé, Jean-Baptiste se leva et salua le roi d'une immense révérence. Je ne doutai pas qu'il y avait dans ce geste beaucoup de sincérité. Comment ne pas être touché d'un pareil traitement !

Pendant qu'on débarrassait la table, le roi prit des nouvelles de ses courtisans, des enfants de l'un, de l'épouse de l'autre. Un homme se mit à ses côtés et fit le geste de lui prendre le poignet : c'était Louis Henri Daquin, qui, en sa qualité de médecin, était venu tâter d'un air pompeux le royal pouls ! Notre bon roi se laissa faire, puis il remercia fort civilement son docteur. Celui-ci s'éloigna à reculons. Le roi interpella une nouvelle fois Jean-Baptiste :

– Dites-moi, monsieur de Molière, avez-vous un médecin ?

– Oui, Sire, et l'un des meilleurs !

– Et comment vous soigne-t-il ?

– Ma foi, je raisonne avec lui, il m'ordonne de prendre des remèdes, je ne les prends point et je guéris !

Les courtisans présents se consultèrent du regard, indécis. Mais le temps qu'ils analysent la situation, Louis le Quatorzième avait déjà éclaté de rire. Comprenant qu'ils étaient en retard d'une plaisanterie, ils émirent des ricanements censés accompagner le rire du roi. Tous agirent ainsi, sauf Daquin, qui avait pâli à cette dernière réplique. Il y eut un nouvel échange de compliments, et le roi quitta la pièce.

Comme si le soleil avait disparu, les courtisans se dispersèrent. Jean-Baptiste resta afin de retendre le lit de parade. Tandis qu'il s'affairait, Daquin passa devant mon réduit, et je fus frappé par la forte odeur qui s'échappait de ses vêtements. En une poignée de secondes, je reconnus ce parfum : c'était celui que j'avais senti à la fin de la représentation de *Dom Juan* ! C'était donc lui qui avait menacé mon ami ! J'en eus bien vite la confirmation. L'homme s'arrêta devant Jean-Baptiste, occupé à restaurer le moelleux d'un oreiller, et lui lança d'un ton fielleux :

– Méfiez-vous, Poquelin. À force de rester près des plumes, c'est dans le goudron que vous irez rouler !

– N'ayez crainte, mon cher. Le jour où je serai malade, ce n'est pas chez vous que j'irai me faire soigner.

– Je ne risquais pas de vous le proposer. Mais vous devriez réfléchir à la mort de votre fils, et voir dans cette sanction divine toute l'étendue de votre faute. Si vous n'écriviez d'œuvres inspirées par le démon, le Ciel ne chercherait pas à se venger de vous.

Lorsque mon presque frère répondit, sa voix tremblait de colère :

– Comment osez-vous parler ainsi de la mort d'un enfant ? Mon fils est mort de fièvre, une fièvre que vous et vos semblables, confits dans votre bêtise et votre vanité, ne traitez qu'avec des saignées ! Croyez-vous vraiment que Dieu soit si méchant qu'il s'en prenne à un enfant pour punir son père ?

– Prenez garde, monsieur le comédien, n'oubliez pas que l'Église ne fait que vous tolérer, et qu'au dernier jour de votre vie il vous faudra vous repentir du métier que vous avez choisi pour être enterré en terre chrétienne !

D'un geste vif, Jean-Baptiste saisit Daquin au collet.

– Comme tous les comédiens, je serai peut-être

enterré dans une fosse commune, mais vous, vous irez rôtir en enfer pour tous les patients que vous aurez expédiés dans l'autre monde !

– Lâchez-moi ! L'aveuglement de notre roi n'est dû qu'à sa trop grande bonté et ne vous protégera pas longtemps. Un jour, il verra votre vraie nature, votre vice ; il comprendra et vous serez banni. Méfiez-vous, je vous le dis !

Jean-Baptiste lâcha le revers du médecin.

– Pauvre petit médicastre… Allez ! Allez poser quelques ventouses, saignez qui vous plaira, tentez des emplâtres à la fiente de porc et goûtez quelques urines, c'est cela qui vous convient !

Louis Henri Daquin blêmit sous l'injure, et quitta la pièce en menaçant mon ami de son poing fermé. Cette scène m'avait atterré. J'attendis de reprendre mes esprits, puis sortis de mon réduit et allai droit à Jean-Baptiste. Il sursauta quand je lui posai la main sur l'épaule.

– Tu as là un gentil camarade, on dirait.

– Je ne suis pas près de l'oublier, tu peux me croire.

Les dents serrées, il ajouta, les yeux toujours fixés sur la porte par laquelle ce serpent venait de filer :

– Mais j'ai encore une arme dont il n'a pour l'instant que peu tâté.

– Laquelle ?

– La plume, mon cher Armand, la plume, et tu vas voir que, bien maniée, elle est plus efficace qu'une épée.

CHAPITRE 6

Jean-Baptiste et moi nous vîmes peu dans les semaines qui suivirent cette mémorable journée au Louvre. Il dut se battre bec et ongles pour sa pièce, mais elle ne resta à l'affiche du théâtre du Palais-Royal que pour quinze représentations. Dès la deuxième, il coupa la scène du pauvre, celle qui avait le plus choqué ses adversaires.

Comme il voulait continuer à jouer, il supposa qu'en agissant ainsi il réussirait à concilier ses partisans et ses ennemis.

Ce ne fut pas suffisant. Un libelle, signé d'un certain Sieur de Rochemont, était déjà largement diffusé à Paris. Sous le titre d'*Observations sur une comédie de Molière, intitulée « Le Festin de pierre »*, le texte attaquait violemment non seulement la pièce, mais surtout son auteur, n'hésitant pas à le traiter d'athée et d'hypocrite. L'accusation était dangereuse : hypocrite, personne ne s'en souciait, et après tout c'était l'origine grecque du mot « acteur ».

Mais athée… Il était difficile d'accuser un homme d'un crime plus grave que celui de ne pas croire en Dieu. Bien sûr, tous ses soutiens réagirent, et Paris fut inondé de *Réponse aux « Observations »* et de *Lettre sur les « Observations »*. La tension ne cessait de monter et Jean-Baptiste dut se faire à l'idée de renoncer à cette pièce, même si tous les soirs la salle était pleine. Sans doute les ordres vinrent-ils du roi lui-même, puisque au bout de six semaines, brusquement, les représentations s'interrompirent. Mon ami reprit des pièces plus anciennes de son répertoire, et ce fut comme si *Dom Juan* n'avait jamais existé. J'en fus surpris.

L'hiver touchait à sa fin lorsque Jean-Baptiste m'annonça que sa femme était à nouveau enceinte. Cela me rendit heureux pour lui : les temps étaient rudes pour sa troupe avec deux pièces interdites – même si *Le Tartuffe* était encore joué chez des particuliers –, un peu de joie dans leur foyer serait une bonne chose. Puis le printemps s'installa.

Un dimanche, le temps étant fort doux, j'emmenai femme et enfants respirer le bon air d'Auteuil. Nous quittâmes Paris dans une charrette que j'avais louée pour l'occasion, munis de paniers remplis de victuailles. Après un bon déjeuner dans une ferme

– les enfants découvrirent avec stupéfaction que les chèvres aussi produisaient du lait ! –, nous passâmes devant la maison de Nicolas Boileau, un jeune auteur que j'admirais fort. Rien de lui n'était encore paru, mais lors d'une rencontre organisée par mon ami comédien il nous avait lu des vers satiriques de sa composition sur les écrivains à la mode. C'était à mourir de rire : Chapelain, Mademoiselle de Scudéry... l'animal n'épargnait personne ! Je citai de mémoire certains passages à ma femme, qui déclara les trouver fort bons.

En rentrant chez nous, nous eûmes la surprise de lire un petit billet de Jean-Baptiste qui nous faisait part d'une excellente nouvelle : à la demande du roi, sa troupe, qui jusqu'ici appartenait à Monsieur, frère du roi, devenait officiellement troupe royale. À ce titre flatteur était ajoutée une pension de six mille livres par an. La décision ne serait officielle qu'au mois d'août, mais le roi lui avait fait savoir qu'il pouvait se mettre tout de suite au travail pour lui soumettre de nouvelles pièces.

Le 9 juillet, le bruit courut que Madame[1], la femme de Monsieur, avait accouché d'un enfant

---

1. Il s'agit d'Henriette d'Angleterre.

mort-né. Mon ami, affolé, se précipita chez nous et me somma de lui expliquer comment ce genre de choses pouvait arriver. Je tentai de le rassurer : Armande était dans son huitième mois de grossesse, elle semblait en pleine forme, elle ne se serrait pas la taille comme le faisaient trop souvent les femmes. Il n'y avait aucune raison que la naissance se déroule mal. L'enfant bougeait-il ? Jean-Baptiste m'assura qu'il était très vigoureux, si on en jugeait par les coups de pied qu'il donnait à sa mère. Il m'écoutait, mais je sentais bien que je ne parvenais pas à le défaire de ses craintes. Au bout d'un moment, exaspéré, je finis par lui lancer :

– Jean-Baptiste, je ne vois pas pourquoi je gaspille ma salive ! Tu n'écoutes rien de ce que je te dis et tu me regardes en permanence d'un œil suspicieux !

– Non, se défendit-il maladroitement, je te crois, mais je suis inquiet et…

Mais il ne voulait donc rien entendre ! J'explosai :

– Enfin, depuis le temps que je vous soigne, toi, ta femme et ta troupe, tu n'as toujours pas confiance en moi ? Je ne vous saigne jamais, ou presque, je vous ai toujours remis sur pied, et malgré cela tu me fais aussi peu confiance qu'à un charlatan ?

Il comprit que j'étais vraiment vexé et, pour faire

diversion, m'invita à le rejoindre le lendemain au cabaret La Croix de Lorraine. Il devait y retrouver des amis pour fêter l'entrée de sa troupe dans la maison du roi et me proposa de passer la soirée avec eux. Je ne lui répondis pas tout de suite, l'esprit encore crêté par ce que je prenais pour de la défiance. Mais il sut si bien m'amadouer que je finis par céder. Pour être honnête, j'étais curieux de rencontrer les amis dont il me parlait souvent. Il quitta la maison avec la promesse que je me joindrais à leur bande le lendemain.

Lorsque je parlai de cette soirée devant Gemme, elle eut un petit sourire, vite réprimé. Je lui en demandai la cause, mais elle changea rapidement de sujet. Je savais bien qu'elle prenait ce genre de sorties, pourtant peu fréquentes, comme un prolongement de ma vie de jeune homme et qu'elle ne pouvait imaginer que nous avions des discussions sérieuses.

Le lendemain, je m'occupai des étudiants qui préparaient leurs examens et évoquai avec eux les sujets qui étaient susceptibles de leur être donnés. Je devais être particulièrement en forme, car les exemples que je leur fournis eurent pour effet de les faire rentrer chez eux ventre à terre se replonger dans leurs manuels. Je me rendis ensuite à la Faculté voir mon ami Denis Joncquet, avec qui je travaillais à la rédaction d'un dictionnaire des quatre mille plantes du Jardin du Roi, l'*Hortus Regius*. Cet ouvrage devait compléter celui que nous avions déjà écrit quelques années auparavant. Denis, tout perdu qu'il était dans ses plantes, ne manquait jamais de s'informer des rumeurs de la Cour. Il me demanda en passant si je fréquentais toujours un certain Molière. Le ton qu'il adopta pour parler de Jean-Baptiste me poussa à la provocation :

– Molière ? Laissez-moi réfléchir… Je connais bien Jean-Baptiste Poquelin, fils d'un tapissier du roi et valet de chambre tapissier du roi lui-même.

– Armand, je vous en prie. Je suis loin de chercher à vous nuire, vous le savez bien. Je cherche seulement à vous éviter des ennuis.

– Des ennuis ? Mais de quelle sorte ? Jean-Baptiste est le dernier qui…

Il me coupa la parole :

– Écoutez-moi sérieusement, Armand. On parle beaucoup de vous pour le poste de doyen de la Faculté de médecine. C'est inespéré, ai-je besoin de vous le rappeler ?

Je ne répondis pas, encore trop honteux au souvenir terrible de mon exclusion de la Faculté.

À ce moment-là, j'avais bien cru que ma carrière de médecin était arrivée à son terme.

J'ai toujours été d'un caractère assez coléreux, je dois l'avouer. Je travaillais depuis longtemps, avec certains de mes confrères, sur l'utilisation des émétiques[1]. C'était un sujet brûlant, qui énervait beaucoup la communauté médicale. Nos travaux avançant, nous eûmes l'idée de produire un document, signé par soixante médecins, expliquant le sens de nos recherches.

Peu après la diffusion de ce document, lors d'une séance à la Faculté, je me laissai entraîner dans un débat sur ce thème. Blondel, qui était à l'époque le doyen, se montra d'une telle arrogance que je sentis la colère me submerger. Il le vit et s'adressa directement à moi. Sa suffisance, ses insinuations sur mes capacités médicales et ses remarques sur mes relations amicales me mirent en rage. Il eut un mot malheureux – dont je suis aujourd'hui incapable de

---

1. Au XVIIe siècle, on tirait d'un métal, l'antimoine, une substance émétique, c'est-à-dire qui fait vomir. Son utilisation pour soigner les malades déclencha une guerre entre les médecins qui l'utilisaient et ceux qui refusaient de le faire. Le Parlement de Paris, sous l'influence de ces derniers, émit un arrêt interdisant d'utiliser toutes les substances émétiques.

me souvenir ! Je bondis par-dessus la table qui nous séparait et lui assénai un vigoureux coup de poing sur son bonnet de doyen avant que des confrères ne s'interposent. Le recteur fut mis au courant et j'écopai de quatre ans d'exclusion de l'Université. Il me fallut quatre autres longues années pour obtenir ma réintégration par un arrêt du Parlement…

Joncquet me regardait : il devait penser que son argument avait porté, puisque après un court silence il reprit doucement la parole :

– Armand, vous m'avez compris. Je ne doute pas du talent de Molière, je sais que c'est pour vous un ami de longue date, mais je souhaiterais que vous ne gâchiez pas vos chances en vous tenant trop près d'un homme que la Faculté réprouve et qui ne fait que se moquer des médecins ! Si j'en crois ce que l'on m'a dit, Daquin travaille à sa perte auprès d'Anne d'Autriche, et vous n'ignorez pas qu'il peut bien des choses. Tenez, jetez un œil sur ce libelle qui court dans Paris, vous serez surpris de la violence des propos…

Il me tendit alors une petite feuille imprimée, que je lus aussitôt. C'était un sonnet, qui se terminait par ces vers :

Il faudrait qu'il fût mis entre quatre murailles
Que ses approbateurs le vissent en ce lieu

Qu'un vautour jour et nuit déchirât ses entrailles
Pour montrer aux impies à se moquer de Dieu

Je restai d'abord stupéfait, ce torchon imprimé à la main, puis le rendis à Joncquet sans un mot. Il me serra l'avant-bras et me dit simplement :

– Ces hommes ne plaisantent pas, croyez-le. Soyez prudent, mon cher, je vous le demande comme un service.

Touché par son ton affectueux, je le remerciai du soin qu'il prenait de moi et de ma carrière. Il était inutile de lui préciser que je ne le quittais que pour retrouver Jean-Baptiste, qui fêtait la faveur que le roi venait de lui accorder…

CHAPITRE 7

Le soir venu, je quittai ma demeure avec la ferme intention de raconter à Jean-Baptiste ce que m'avait expliqué Joncquet. La situation était tendue, le soutien du roi réel mais fragile… Il suffisait à mon ami de se calmer un peu, et le parti dévot lâcherait cet os pour se ruer sur un autre ! Je mis du temps à trouver le lieu de la fête. Il me fallut en premier lieu repérer l'église Saint-Jean-en-Grève, près de la Seine, puis le mur de son cimetière, et le longer, pour apercevoir, au fond d'une ruelle, une enseigne portant une croix de Lorraine. Je marchai prudemment jusqu'à la porte de l'établissement pour éviter de crotter mes souliers, tout en réfléchissant aux arguments susceptibles de convaincre mon ami des vertus du silence.

Lorsque j'entrai dans le cabaret, je compris que je n'arriverais pas à mes fins ce soir-là. L'endroit était un peu plus propre qu'une taverne, le sol était au moins carrelé, mais pour ce qui concernait la population, on était loin de mes fréquentations universitaires habituelles !

Je traversai tout d'abord une salle dont le plafond était tellement sombre qu'on aurait dit un ciel sans étoile. Dans une atmosphère empuantie par des vapeurs d'alcool et des relents de crasse, je jouai des coudes pour m'approcher de ce que je supposais être une servante du lieu. Armée d'un pichet, elle versait un liquide chaud et odorant dans des chopines tout en tapant de sa main libre sur les doigts qui s'aventuraient vers son corsage.

Je dus hurler pour couvrir le bruit environnant ; quand la créature comprit qui je cherchais, elle me sourit largement, découvrant dans ce mouvement des chicots abominablement noircis, et m'envoya au nez une haleine plus dangereuse qu'un pistolet chargé. Elle me serra l'épaule, me fit faire un quart de tour sur moi-même et me désigna d'un doigt brunâtre une porte au fond de la salle.

Je progressai tant bien que mal, heurtant malgré moi des tables, des tabourets et leurs occupants, le tout en écrasant de nombreux pieds. Je remarquai au passage que cet air si lourd était dû en partie à l'usage que certains faisaient de l'herbe rapportée au siècle dernier par Jean Nicot[1]. Quelques injures plus tard, je réussis enfin à atteindre mon but.

Dans une autre salle, de dimension plus restreinte, la fête battait son plein. Jean-Baptiste trônait au bout de la table, en chemise, une plume à la main. Une douzaine de personnes l'entouraient, plus ou moins débraillées. Leurs pourpoints, jetés à la hâte, gisaient en tas sur un coffre. La nappe était jonchée de reliefs de nourriture et les chandeliers déjà couverts de coulures de cire. Il me sembla que j'arrivais un peu tard, et que cette fête était au moins autant en l'honneur du roi qu'en celui de Bacchus[2].

À mon arrivée, mon ami releva la tête et cria :

– Esculape, mon bon, tu nous manquais ! Vite, amis, un verre pour notre compagnon ! Bois avec nous, compère !

Je saisis la chope qu'on me tendait et la levai haut pour honorer l'assistance. Un beuglement général me répondit. Je saluai Boileau, le seul que je connaissais un peu, tandis que Jean-Baptiste faisait signe

---

1. Il s'agit du tabac, que l'on désignera ensuite sous le nom de « nicotine ».
2. Le dieu du vin et de la fête pour les Romains.

qu'on me passe une assiette. Bientôt, j'eus devant moi une fricassée de veau qui me fit venir l'eau à la bouche. Mon trajet m'avait épuisé, je me jetai sur la nourriture sans bouder mon plaisir.

– Mange, mange donc, nous sommes ici pour fêter le roi et les six mille livres qu'il vient d'attribuer à ma troupe, même si je ne suis pas sûr d'arriver un jour à les toucher !

S'adressant à l'assemblée, Jean-Baptiste se leva et, brandissant son verre, cria :

– Au roi !

Tous se levèrent, moi y compris, et reprirent son cri lancé. Une fois rassis, je lui demandai :

– Alors, c'est officiel ? Ta troupe quitte Philippe d'Orléans pour le roi ?

– Oui, mon cher, nous voilà désormais Troupe du Roy, avec pour mission, d'ici quelques semaines, d'aller divertir Sa Majesté à Versailles. Je compte bien lui servir une nouvelle comédie-ballet dont il n'aura qu'à se louer et qui fera périr de rage Daquin. Sais-tu que cet âne me chasse de mon logement ? Il me faut à nouveau déménager. Qu'importe, j'ai trouvé de quoi me loger à côté, mais, crois-moi, il ne va pas l'emporter au paradis. Je suis en train de l'arranger de la belle façon dans ce texte-là !

Il désigna d'un doigt taché d'encre une pile de feuilles posée à même la table.

– Tu écris ici ? Dans ce bruit ?

Mon incrédulité sembla le fâcher. Il reprit sa plume, en essuya la pointe sur un morceau de papier et la trempa dans un petit encrier portatif.

– Et pourquoi pas ? Pourquoi ne pas écrire au milieu de ses amis ? Boileau, que tu vois là, m'est d'une aide précieuse, et au moins je sais tout de suite si mes saillies font rire ! Allons, termine ton veau et au travail, nous allons avoir besoin de tes connaissances !

Quand Jean-Baptiste était dans cette forme, rien ne pouvait l'arrêter. Lorsque je lui fis remarquer qu'il risquait de perdre ses feuillets, il tapota une pochette de maroquin et m'expliqua qu'il les fourrerait dedans dès qu'il en aurait terminé.

– Après, La Grange les porte chez l'éditeur, qui les imprime sur du bon papier. Bon, trêve de plaisanterie… Écoute donc le sujet de ma petite comédie : une jeune fille, Lucinde, fait semblant d'être malade pour échapper au mariage arrangé par son père. Comme il est au désespoir de la voir dépérir, il convoque les cinq plus grands médecins de son temps : tous proposent des remèdes différents. Arrive ensuite Clitandre, l'amoureux de

Lucinde, déguisé en médecin. Il prétend que seul le mariage peut guérir la fille et se propose comme mari. Le père, ravi d'avoir un gendre médecin, donne son consentement… et s'aperçoit trop tard de la supercherie ! Le tout entrecoupé de chants, danses et ballets comme les aime notre roi. Qu'en penses-tu ?

– Ça m'a l'air amusant, mais il me semble que c'est déjà ce que tu as traité avec *Le Mariage forcé* et *La Princesse d'Élide*. Ces deux pièces évoquent aussi un père qui tente d'imposer à sa fille un prétendant.

– Tu as raison, répliqua mon ami, mais avoue que c'est une chose courante ; tu as toi-même rencontré cela dans ta famille !

L'animal n'avait pas tort, et je lui en voulus presque de rappeler ce cuisant épisode ; ma jeune belle-sœur, Marie-Anne, s'était fait courtiser par un certain Jean L'Huillier que l'on disait criblé de dettes. En charge des intérêts financiers de la jeune fille, j'avais obtenu un arrêt de la cour du Parlement interdisant ce mariage. Las, malgré ma défiance, cette jeune pie s'envola pour rejoindre son amoureux et l'épousa avec la complicité d'un prêtre corrompu. Jean-Baptiste avait suivi tout cela avec beaucoup d'attention, se moquant de moi à chaque procédure lancée pour arrêter ces deux imbéciles. Il me fallut du temps pour accepter de les revoir, et je dois dire que Gemme ne fit pas preuve de toute la rigueur nécessaire dans cette affaire.

M'étant souvenu de ce triste épisode, je finis par répondre à ce damné comédien :

– Oui, enfin, ce n'était pas la même chose, ma petite belle-sœur était dans une position délicate et…

– Ta ta ta, la belle affaire ! N'empêche, tu le vois bien, mon théâtre ne fait que raconter nos vies ! Tu as raison, c'est un ressort que j'ai déjà employé. La différence, c'est que je ne vise pas le mariage, mais les médecins. Bon, montre-nous ta science. Dis-moi, Boileau, où en es-tu des noms grecs que tu dois m'inventer pour mes cinq médecins ?

– Ça vient, ça vient. En voilà quelques-uns qui me paraissent adaptés. Oh là, la compagnie, un peu de silence !

Chacun posa son verre pour écouter. Boileau se percha sur sa chaise et annonça :

– Il s'agit dans cet acte de mettre en scène les médecins que nous considérons comme les plus dangereux. Que pensez-vous, pour Des Fougerais, de le nommer Des Fonandrès ?

Un éclat de rire général saisit l'assemblée : littéralement, cela signifiait « le tueur d'hommes ». Attaché à Madame, la belle-sœur de Louis XIV, Des Fougerais était un tel charlatan qu'il avait failli tuer la duchesse de Châtillon. La Faculté, qui pourtant était peu sourcilleuse, avait fini par le punir. Ce nom fut donc adopté à l'unanimité. Boileau leva la main pour demander le silence et suggéra de surnommer Esprit, le médecin de Monsieur, « Bahys », ce qui signifiait « jappeur », à cause de sa manière de parler, confuse et précipitée ; Guénault, médecin des Condé[1], hérita de « Macroton », c'est-à-dire « celui qui n'en finit pas de parler », tant il ânonnait et refusait toujours de se taire ; Yvelin, premier médecin de Madame, se vit affublé de « Filerin », en référence à son goût prononcé pour les affaires juridiques. Quant à Daquin, Boileau proposait pour lui « Tomès », « celui qui taille », du fait de son amour jamais démenti de la saignée.

Les applaudissements et les rires de l'assistance saluèrent les trouvailles de Boileau.

Je tentai bien d'amener Jean-Baptiste à prendre

_____

1. Les Condé étaient une famille très puissante, princes du sang. Ils étaient les plus proches parents de la famille royale.

position dans la grande querelle qui secouait la Faculté, entre ceux qui prisaient les substances médicamenteuses – dont je faisais partie ! – et les maniaques du scalpel, qui ne juraient que par la saignée. J'essayai notamment d'épargner Guénault, qui avait sauvé notre roi en lui faisant absorber un émétique à base d'antimoine et de vin. Ce fut en pure perte ! Jean-Baptiste voulait en découdre avec Daquin, et c'était plus facile en le mettant en scène au milieu de ses confrères.

– Mais pourquoi le poursuis-tu ainsi de ta colère ? C'est un mauvais médecin, certes, mais ce n'est qu'un parmi d'autres !

– En plus d'être mauvais médecin, Daquin est un mauvais homme, Armand. Souviens-toi de la mort de mon fils… N'aurait-il pas pu mieux se comporter ?

Un éclair de souffrance traversa ses yeux au moment où il prononçait ces paroles. La scène me revint en mémoire, et j'entendis de nouveau son ton amer lorsqu'il m'avait annoncé que, au lieu de soigner son fils, Daquin était venu réclamer son loyer.

– Il est pingre, toute la Cour en rit. Il serait bon, pour toi, pour ton futur enfant, de passer à autre chose…

– Je sais, je sais… mais, pour tout te dire, Armande

me rebat les oreilles depuis sa dispute avec la femme de Daquin. Je ne t'en ai pas parlé ?

– Non, pas que je me souvienne.

– Hé bien, imagine-toi que Mme Daquin est venue nous réclamer une augmentation de loyer. Évidemment, Armande a refusé, et plutôt sèchement ! Les deux épouses s'embrouillent, elles crient, s'insultent, bref, rien que de très normal. Je n'étais pas là, mais quand je rentre, Armande me bondit dessus pour me raconter la scène. Je tente de l'apaiser. Elle semble se calmer. Et le lendemain, la catastrophe ! Ce que je ne savais pas, c'est que la veille Marquise Du Parc, qui loue aussi un appartement à Daquin, lui avait offert un billet pour l'une de nos pièces. Donc la représentation arrive, la femme de Daquin se présente, son billet à la main. Malheur ! De la coulisse Armande la voit, elle lui saute à la gorge comme une tigresse, et la flanque dehors en hurlant que dans ce théâtre c'est elle la maîtresse de maison et qu'elle est libre de recevoir qui elle veut !

– Mais tu n'as rien dit ?

– Que voulais-tu que je dise ? Bien entendu, cela n'a pas arrangé mes relations avec Daquin. J'ai voulu aller le trouver pour l'apaiser, mais là, ça s'est mal passé. Une scène dans le goût de celle à laquelle tu as assisté… Il m'a dit des choses impardonnables…

À voir l'expression de son visage, je sus que Jean-Baptiste avait été profondément blessé. Cette nouvelle pièce était sans doute une petite vengeance, mais il était clair que le dramaturge poursuivait un autre objectif : je compris, au cours de cette soirée où le vin prit une bonne place, que c'était encore et toujours l'hypocrisie de ceux qui affirment sans rien savoir que mon ami souhaitait dénoncer.

CHAPITRE 8

Jean-Baptiste partit à Versailles le dimanche 13 septembre, sa nouvelle pièce sous le bras. Je ne le revis qu'à son retour, le 20 septembre. Il avait joué devant le roi plusieurs pièces, *L'École des maris*, *L'Impromptu de Versailles* et y avait ajouté son *Amour médecin* – c'était le nom qu'il avait choisi pour sa dernière création –, en précisant bien qu'il ne s'agissait que d'une « petite piécette » dont le seul but était de divertir. Le séjour avait été très fructueux : c'était la première fois que la troupe se produisait devant le roi depuis qu'elle portait le nom de Troupe du Roy et l'ensemble avait été un franc succès.

Jean-Baptiste me raconta comment il avait fait appel, pour la deuxième fois, au surintendant de la Musique royale pour créer les ballets et les petits morceaux musicaux. Le surintendant était un Italien, un certain Giovanni Battista Lulli, qui avait francisé son nom en Jean-Baptiste Lully depuis qu'il avait été nommé à ce poste. Le musicien était brillant, c'était un compositeur très doué et un violoniste de grand talent. Il jouait également la comédie et savait régler les ballets avec élégance. Cependant, il semblait mener une vie dissolue qui lui avait attiré le surnom peu flatteur de « Paillard ». Mon ami lui reconnaissait du génie et un sens réel de l'innovation musicale, mais il ne l'aimait guère.

Même s'ils n'étaient pas très liés, force était de constater que la collaboration des deux Jean-Baptiste produisait des œuvres de qualité. Avant la création de *L'Amour médecin*, il y avait eu en effet *La Princesse d'Élide*, une pièce jouée au moment des Plaisirs de l'Île enchantée, cette série de fêtes voulues par le roi à Versailles : leur travail commun avait alors été très complimenté.

Cette fois, les deux hommes s'étaient un peu rapprochés : chacun avait eu un enfant au début du mois d'août, et les rencontres commençaient toujours par un échange de nouvelles concernant les nourrissons. En bon Italien, Lully bombait le torse en parlant de son fils, baptisé le 6 du mois à l'église Saint-Thomas-du-Louvre, tandis qu'à chaque pause Jean-Baptiste affirmait que sa fille, Esprit-Madeleine, née le 4, était tout le portrait d'Armande.

Lorsque, enfin, *L'Amour médecin* fut présenté devant la Cour, Daquin était dans la salle. Marquise Du Parc l'observa de la coulisse et rapporta à ses camarades que son sourire n'avait rien de naturel. Le médecin n'était resté que contraint et forcé : alors que les spectateurs riaient, il ne voulut pas perdre la face en montrant qu'il s'était reconnu.

Jean-Baptiste en avait fait des gorges chaudes, peut-être moins qu'Armande toutefois, qui tenait là sa vengeance. Le teint de Daquin, à ce qu'on disait, avait connu toutes les nuances du jaune au fur et à mesure de l'enchaînement des scènes : mon ami en était sûr, la rage lui avait définitivement gâté la figure et son foie ne résisterait pas !

Les trois autres médecins s'étaient aussi reconnus dans la caricature, mais ils avaient été beaux joueurs : des amis présents dans la salle racontèrent à la troupe que Guénault avait même franchement ri… mais on ne savait si c'était de son propre portrait ou de celui de ses confrères !

Dans les jours qui suivirent, certains des traits d'esprit de la pièce coururent dans les soupers. Les gens de la Cour, toujours friands de bons mots, répétaient ainsi en riant une réplique de la servante de Lucinde, Lisette : « J'ai connu un homme qui prouvait, par bonnes façons, qu'il ne faut jamais dire : une telle personne est morte d'une fièvre et d'une fluxion sur la poitrine, mais : elle est morte de quatre médecins et de deux apothicaires. »

Dès le 22 septembre, soit deux jours après le retour de la troupe à Paris, la pièce fut jouée au Palais-Royal. Les nouvelles volaient entre Versailles et Paris, et un succès à la Cour se devait d'être joué au plus vite en ville.

Jean-Baptiste nous offrit des billets, et je dois dire que tant Gemme que moi rîmes du début jusqu'à la fin. Mon ami tenait le rôle du père, ce benêt qui se faisait berner par sa fille Lucinde, et avait gardé pour ce rôle le nom de Sganarelle donné au valet dans *Dom Juan*. J'aimais beaucoup le ballet de Beauchamp, et la musique de Lully rythmait avec justesse la pièce tout en adoucissant la violence des caricatures.

Les jours étaient heureux, pour Jean-Baptiste comme pour moi. Lui triomphait sur scène, il était reconnu comme l'auteur qui faisait rire le roi, et moi, j'imposais peu à peu mes idées au sein de la Faculté.

J'usais de prudence, ne procédant que par petites touches. Les mesures que mes confrères avaient prises à mon encontre quelques années auparavant m'avaient rendu méfiant. Je n'avais pas changé d'idées, mais je cherchais à les introduire autrement qu'en force. Les émétiques, pour lesquels j'avais été exclu de la Faculté, permettaient de sauver des vies et d'épargner des souffrances. Cette volonté d'adoucir le sort des malades, d'amoindrir leur douleur était étrangère à bon nombre de mes confrères. Au cours d'une discussion, l'un d'eux me déclara que mes théories étaient inacceptables parce qu'elles étaient contredites par l'étymologie du mot « patient ». Comme lui, je savais parfaitement que ce mot prenait sa racine dans la langue grecque, et qu'il était dérivé du mot « souffrance ». Alors que j'ouvrais la bouche pour lui répondre, il se dressa, tout maigre dans sa longue robe noire, et, me menaçant de l'index, hurla que le « patient » était fait pour souffrir ! J'en restai stupéfait : tous les médecins voulaient triompher de la maladie, mais il me semblait qu'en route certains d'entre eux oubliaient un peu le malade… Un jour pourtant, il leur faudrait bien admettre qu'il y avait d'autres moyens de soigner que la purge ou la saignée !

À cette période, je visitais régulièrement Armande, que la naissance de sa fille avait apaisée. Elle s'en occupait beaucoup et avait cessé, au moins pour quelque temps, de distribuer des œillades à tous les hommes qui passaient. Un calme relatif régnait aussi dans la troupe. Les acteurs jouaient des spectacles qui attiraient les foules, leurs rôles avaient souvent été écrits sur mesure, ou presque, par Jean-Baptiste, et ils gagnaient bien leur vie en partageant, chaque soir, les bénéfices. Ils prenaient un tel plaisir à monter sur scène que cela retentissait sur le public qui les réclamait. *L'Amour médecin* fut ainsi joué vingt-huit fois pendant l'automne, et chaque fois devant une salle comble qui trépignait de plaisir.

Ce succès raffermissait un peu les positions de la Troupe du Roy face à leurs éternels ennemis, à savoir les comédiens de l'Hôtel de Bourgogne. Les rivalités étaient importantes entre les deux troupes : il fallait attirer les meilleurs auteurs, les meilleurs acteurs – sans oublier que le titre de Troupe du Roy pouvait facilement disparaître du jour au lendemain !

Une visite, fin octobre, conforta la famille Poquelin dans l'idée qu'elle était la troupe la plus courue de Paris. Jean-Baptiste reçut en effet un certain Ricous, qu'il savait être l'homme de confiance des puissants Condé. À sa grande surprise, Ricous lui demanda de tenir la troupe prête à jouer son *Tartuffe* devant son maître, alors même que la pièce était interdite, ainsi que son *Amour médecin*. Il précisa que tout devait être préparé dans le plus grand secret, et que le lieu ne lui serait donné qu'au dernier moment. Il ne fallait pas fâcher le roi, *Le Tartuffe* avait été censuré et seul l'effet de surprise empêcherait toute action visant à interdire la représentation. Jean-Baptiste accepta immédiatement : il devait payer ses comédiens, honorer ses factures, alors que les fonds royaux tardaient à venir. Les mille cent livres promises pour cette seule soirée allaient bien arranger ses comptes ! Ils répétèrent dans le plus grand secret et, le 8 novembre, ils allèrent effectivement jouer au château du Raincy, chez la princesse Palatine, belle-sœur du roi.

Mon ami passa fêter ce nouveau succès à la maison. Je le sentis plein d'énergie, comme porté par une énorme vague. Il y avait cependant quelque chose dans son attitude qui m'inquiéta, un je-ne-sais-quoi d'un peu trop fiévreux. Il parlait plus vite que d'habitude, plus fort, exactement comme s'il était sur scène. Je le lui dis, sans doute brutalement, car il eut un net mouvement de recul.

– Jean-Baptiste, ne me regarde pas comme si j'allais te mordre. Je te trouve fébrile, c'est tout. Acceptes-tu que je te prenne le pouls ?

– Si cela peut te tranquilliser, fais-toi donc ce plaisir, me répondit-il sèchement.

Sans m'arrêter à l'agressivité de sa voix, j'appliquai deux de mes doigts à la base de son poignet. Je sentis les coups réguliers de son sang contre mon majeur et mon index, des coups furieux, précipités, rageurs, comme ceux d'un animal prisonnier.

– Ton sang tourne trop vite, mon ami. Il faut surveiller ton alimentation. Des bouillons maigres, des viandes blanches. Rien qui puisse échauffer un sang qui me paraît déjà bien bouillant. Et du repos, Jean-Baptiste, il te faut du repos.

– Tu en parles à ton aise ! Comment veux-tu que je me repose ?

Le ton était différent, comme las. En quelques phrases, il me conta les raisons de son épuisement : il travaillait d'arrache-pied à monter une nouvelle pièce, une tragédie cette fois. Il ne voulut pas m'en dire plus, se contentant de répéter à quel point c'était épuisant pour toute la troupe.

– Mais pourquoi te surcharges-tu de travail ? Tu excelles dans la comédie, tes pièces remplissent les salles, on t'en réclame d'autres… Pourquoi veux-tu absolument changer de genre ? Sous l'Antiquité aussi on jouait la comédie, regarde les œuvres de Plaute, elles sont très drôles !

– Peut-être, mais la tragédie, c'est le genre noble !

La comédie, c'est la suite du théâtre de foire, tu vois, avec des répliques très populaires, parfois même indécentes. On ne prend jamais au sérieux les auteurs qui font rire, on les considère comme des amuseurs publics…

Je fus sensible à la note de regret, peut-être de tristesse, que j'entendis dans sa voix, mais je n'arrivais pas à comprendre cette envie d'écrire une tragédie.

– Il ne me semble pas que ce soit l'avis des spectateurs, lui rétorquai-je. Peut-être ceux qui paient les places les plus chères trouvent-ils élégant de faire les délicats. Mais je te prie de croire qu'au parterre ceux qui assistent à tes comédies debout en payant tout de même quinze sols viennent de leur plein gré ! C'est bien toi, tes répliques et ton talent qu'ils applaudissent ! Ils ne distinguent pas les genres, ils se moquent de ces disputailleries. Ils veulent juste du bon spectacle, en avoir pour leur argent de rires ou de larmes… Alors tu sais, comédie ou tragédie… Et puis des tragédies, tu en joues aussi : c'est toi qui as lancé Jean Racine avec sa *Thébaïde*, tu as réussi à t'attacher un auteur de talent. Peut-être pourras-tu lui en demander d'autres, tu auras ainsi moins de travail…

– Tu as raison. Je fais tant de choses que j'ai parfois du mal à savoir où j'en suis et que je me réveille la nuit terrifié par tout ce qui me reste à faire.

– Prends du repos, je ne cesse de te le dire. Et ce n'est pas seulement ton vieil ami qui te parle, mais aussi ton médecin. À ce propos, comment va Armande ? Et la petite ?

L'évocation de sa fille lui arracha un sourire. Elle avait maintenant quatre mois et semblait en grande forme. Il ne s'étendit pas sur la santé d'Armande, qui s'était manifestement très bien remise de ses couches, mais s'attarda sur ses qualités de comédienne.

– Elle joue de mieux en mieux, on voit vraiment qu'elle a cela dans le sang. Au fond, quoi de moins étonnant ? Dans la famille, ils étaient onze enfants, et elle est la cinquième à devenir comédienne ! Sais-tu qu'elle a pris comme nom de scène celui de « Mademoiselle Molière » ?

– Oui, je l'ai entendu dire… Je me suis d'ailleurs demandé pourquoi toi tu avais choisi le nom de « Molière ». Avant, c'était les pseudonymes italiens qui étaient à la mode ; maintenant, c'est plutôt le genre champêtre, avec Floridor, Montfleury ou même, dans ta propre troupe, la Du Parc ! Mais toi ?

Jean-Baptiste se laissa aller sur le dossier du

fauteuil. Il joua avec les passementeries qui ornaient les accoudoirs, puis un sourire très doux éclaira son visage.

– Cela date de l'époque où ma troupe s'appelait l'Illustre Théâtre, et où nous jouions en province, comme des comédiens itinérants… Une autre époque de ma vie, celle où j'ai disparu de Paris. Je n'ai vu personne pendant toutes ces années.

Il se tut, se leva brusquement et s'étira comme un gros chat, faisant craquer ses articulations.

– Un jour, je te raconterai. Mais là, il faut que je remette ma troupe au travail. Merci d'être mon ami.

Après une brève accolade, il disparut. Je l'entendis taquiner la servante, et la porte d'entrée claqua. Jean-Baptiste repartait vers son monde, celui dans lequel il était Molière et qui, à mon avis, était en train de l'épuiser.

CHAPITRE 9

Décembre arriva, enveloppé dans son manteau de froidure. Malgré le feu que je faisais entretenir quotidiennement dans ma pièce de travail, les vents du nord cherchaient toutes les ouvertures pour taquiner mes os, lesquels répondaient en protestant par des rhumatismes. Gemme calfeutra tant bien que mal les fenêtres, mais cela n'y fit pas grand-chose. Elle eut alors une idée de génie et me fit confectionner un sac en peau d'ours, dans lequel je me glissais pour travailler. Je me sentais un peu comme un lapin dans une terrine, mais il faut reconnaître que cela m'évitait de mourir de froid lorsque je restais assis à mon bureau. Les enfants hurlaient de rire à me voir ainsi fagoté, le sac remonté jusque sous les aisselles, un bonnet sur la tête et des mitaines aux mains pour éviter à mes doigts de geler !

Un soir, alors que je cherchais à mettre quelques vers en tête du livre de botanique préparé avec mon ami Joncquet, j'entendis un grand bruit au bout de l'appartement. J'avais déjà bien du mal à trouver l'inspiration ; cet attentat manifeste m'exaspéra. Bondissant hors de mon sac en fourrure, je sortis comme un furieux de mon cabinet de travail pour châtier le coupable. Je tombai nez à nez avec Jean-Baptiste. Le désordre de ses vêtements suffit à me convaincre que les choses allaient de travers. Je le fis entrer dans mon cabinet et refermai soigneusement derrière lui tandis qu'il s'écroulait sur mon fauteuil favori. Saisissant à deux mains sa chevelure bouclée comme s'il voulait l'arracher, il me lança d'une voix sépulcrale :

— Ah, mon ami, enfin te voilà ! On voulait m'interdire de te voir. J'ai forcé l'entrée. Armand, tu as en face de toi un homme trahi.

Je levai les sourcils et le regardai sans comprendre.

— Trahi ? Mais enfin, trahi par qui ?

— Par Racine, par cet avorton de Jean Racine, celui dont j'ai monté la première pièce ! Un jeune crétin de vingt-six ans, auquel j'ai donné trois cent quarante-huit livres l'an dernier pour sa *Thébaïde*, alors que personne ne le connaissait. C'est moi qui lui ai offert sa chance, c'est moi qui l'ai tiré de l'ombre dans laquelle il croupissait ! Et tu sais comment il me récompense ? Comme un chien galeux, il mord la main de celui qui l'a nourri !

Je restai sans voix devant la violence de ses propos. Après une série d'imprécations qui lui auraient une fois de plus attiré les foudres de l'Église, il finit par daigner m'expliquer ce qui s'était passé.

Jean Racine venait d'écrire une nouvelle tragédie, *Alexandre le Grand*. Il en avait parlé bien en amont avec Jean-Baptiste et lui en avait promis l'exclusivité. Ce dernier lui avait versé de l'argent pour ce travail, comme il le faisait pour lui-même lorsqu'il écrivait une pièce jouée par sa troupe. Cinq cent soixante-quatre livres au total, une somme plutôt généreuse.

Marquise Du Parc n'était pas étrangère à la manœuvre. Elle était une fidèle parmi les fidèles de la troupe, qu'elle avait intégrée jeune fille, lorsqu'ils jouaient en province, à Lyon. Elle avait suivi Jean-Baptiste partout, et sa beauté ravageuse avait fait tourner bien des têtes. Corneille, le grand Corneille, avait été fou d'elle, au point de lui écrire des vers qu'on connaissait encore sous le titre de *Stances à Marquise*. Depuis la mort de René Du Parc, son mari, lui aussi acteur de la troupe, elle avait trouvé un soutien en la personne de Racine, qui était rapidement devenu son amant.

– Je les ai donc laissés répéter sous la direction de Racine. Ce n'était pas mon œuvre, et c'est à un auteur, si possible, d'expliquer aux comédiens ce qu'il attend. Ils ont travaillé dur, presque jusqu'à l'épuisement. Comment te décrire ce qui se passait ? En les regardant, j'avais l'impression que c'était les mots qui les brûlaient. Racine est devenu de plus en plus exigeant. Rien ne lui convenait, il disait que personne ne respectait la musique de ses vers. Puis, le 4 décembre, enfin, ils ont joué.

Il me sembla que ses yeux s'embuaient à l'évocation de cette soirée. Je respectai son silence. Enfin il reprit, la voix chargée d'amertume :

– Un succès, ça a été un succès ! Armande, dans le rôle de Cléophile, un vrai bijou, une beauté, une élocution parfaite… Le parterre, la Cour, tous ont applaudi, et je te prie de croire qu'ils battaient des mains autant pour le texte que pour l'interprétation. Racine est venu me remercier en coulisse, il m'a pris dans ses bras, ce serpenteau ! Hé bien, sais-tu ce qu'il a fait ensuite ?

Sans me laisser le temps de répondre, il enchaîna :

– Tu sais où était Racine le 14 ? Tu en as la moindre idée ?

Jean-Baptiste était tellement en fureur que les veines de son cou se tendaient, prêtes à se rompre. Je secouai négativement la tête.

– Il était chez Mme d'Armagnac, qui recevait le roi, Monsieur et Madame. Et avant le souper, il y a eu une représentation d'*Alexandre*, mais avec les comédiens de l'Hôtel de Bourgogne ! Racine m'a trahi, je te dis ! Il a attendu que je monte sa pièce et il l'a ensuite donnée à mes pires ennemis. C'est une trahison, un assassinat !

J'étais quelque peu désemparé. Mon ami était dans tous ses états, mais je ne saisissais pas pourquoi. Il dut le comprendre car il m'expliqua patiemment qu'il ne pouvait plus jouer cette pièce : maintenant que les autres l'avaient, c'en était fini pour lui. En confiant son œuvre à la troupe rivale, Racine indiquait à tout Paris que Molière et ses comédiens étaient incapables de jouer une tragédie.

– Je voyais bien, pendant les répétitions, qu'il n'était pas content, qu'il reprenait toujours notre prononciation de ses vers. Il était là, avec ses alexandrins, à se démonter la mâchoire pour nous montrer comment il fallait les articuler, comme si nous étions des débutants. Il n'y avait que Marquise qui le regardait avec des yeux énamourés. On a tous écouté, tous fait ce qu'il voulait, respecté ce qu'il appelle « son rythme ». Travaillé comme des forçats pour lui donner satisfaction. Tout ça pour quoi, je te le demande ? Être trahi, assassiné de la plus belle façon qui soit. Il aurait pu me planter un couteau dans le corps, ç'aurait été plus rapide. Mais non, il veut une mort lente, une agonie, la fin de ma troupe, de mon théâtre, de mon avenir… Armand, je n'en peux plus.

Il se tenait devant moi, abattu. La fièvre de son regard, celle qui m'avait alerté lors de notre dernière rencontre, avait disparu. Il n'y avait plus rien d'animé dans ses yeux, juste l'expression d'un insondable désespoir. Je cherchai comment le rassurer, mais aucun mot ne me vint à l'esprit. Je m'approchai et lui serrai l'épaule avec maladresse. Il soupira et secoua ses boucles.

– Et ce n'est pas fini. Je suis certain qu'il a promis quelque chose à Marquise, elle n'avait pas l'air surprise lorsque nous avons appris sa trahison.

– Allons, que peut-il lui avoir promis ?

– Je ne sais pas… D'écrire une pièce pour elle, de lui donner un rôle, quelque chose dans ce goût-là. Il en est amoureux fou, c'est sûr. Et elle, elle lui a cédé. C'est incroyable, non ? Elle a refusé Pierre Corneille, qui lui a écrit la plus belle déclaration d'amour qu'on puisse écrire à une femme. Elle s'est moquée de Thomas, le frère de Pierre. Mais lui, cet orphelin, ce prêtre raté, elle l'a accepté.

J'écoutais Jean-Baptiste s'emporter contre son actrice fétiche. Il y avait là-dedans une part de jalousie : il l'avait aimée, Marquise – avant ou après Madeleine, je ne l'avais jamais su, mais j'avais acquis la certitude qu'il l'avait aimée. Il n'y avait qu'à voir la manière dont elle se comportait avec lui pour comprendre qu'il y avait eu entre eux plus qu'une simple relation de travail. Elle était tellement belle ! Des yeux quasi violets, une façon de marcher si particulière que certains la surnommaient parfois « la déhanchée ». Et un charme, une voix…

L'obscurité envahissait peu à peu la pièce et la nécessité de raviver le feu mourant me tira de mes rêveries. Je me levai donc, tisonnai les braises, ajoutai une bûche et utilisai les flammes qui montaient pour allumer une bougie. Jean-Baptiste ne bougea pas. Les coudes posés sur les genoux, la tête dans ses mains, il était l'image même de la désolation.

– Que dit Armande de tout cela ?

– Armande ? ricana-t-il. Elle ne m'est pas d'un grand secours. Elle est folle de jalousie à cause du rôle que Racine a donné à Marquise et passe son temps à répéter qu'elle est trop vieille, qu'elle est finie, qu'elle devrait se cantonner à des seconds rôles… Je te laisse imaginer leurs querelles incessantes !

– Tu as essayé de les ramener à la raison ?

Il se leva et écarta les bras en signe d'impuissance.

– Intervenir entre ces deux harpies ? Mais tu plaisantes, mon ami ! J'ai bien essayé d'aplanir un peu le terrain, mais je n'ai récolté que quelques remarques aigres de la part de Marquise et des bouderies prolongées du côté d'Armande. Une franche réussite…

Je sentis qu'au fond il était furieux de ne pas avoir réussi à mettre sa troupe en ordre de bataille et que, même s'il en voulait terriblement à Jean Racine de s'être aussi mal comporté, une partie de lui, sans doute celle qui lui échappait le plus, donnait raison à son adversaire : il ne pouvait pas jouer de tragédie, ce n'était pas son registre ni celui de ses comédiens.

Jean-Baptiste resta une bonne partie de la soirée sans parler. Même le repas que nous fit porter Gemme ne put lui mettre de baume au cœur. J'évoquai pour lui nos jeunes années, les soirées chez Gassendi, nos amis d'alors, certains aujourd'hui disparus, nos rires aussi, nos plaisanteries de collégiens… Au bout d'un moment, il me sourit doucement, me serra longuement la main, puis il s'en alla. Je ne cherchai pas à le retenir : je me dis que seul le travail pouvait le sauver du désespoir, comme cela avait été le cas lors de la mort de Louis. Une fois de plus, je me trompais.

CHAPITRE 10

Le mois de janvier 1666 fut bien triste. Je savais depuis longtemps qu'Anne d'Autriche, la mère de notre roi, était fort malade, à cause d'une grosseur dans le sein qui ne faisait que croître. Beaucoup de choses avaient été tentées, mais, hélas, rien n'avait pu réduire la taille de cette tumeur. Les médecins qui la soignaient, ces ânes bâtés, proposèrent en dernier recours une solution dont la cruauté me laissa abasourdi. Non contents de meurtrir une chair terriblement douloureuse, ils s'acharnèrent à la découper au rasoir tout en traitant la plaie suppurante à la chaux vive. La reine mère, dit-on, subit ce traitement sans une plainte, alors que sa souffrance devait être insupportable.

Elle mourut le 20 janvier, dans l'affliction générale. Notre roi perdit connaissance pendant son agonie, tandis que Monsieur son frère, Philippe d'Orléans, tenait la main maternelle jusqu'à son dernier souffle. On me rapporta qu'un courtisan tenta de consoler le roi en lui disant que sa mère avait été une grande reine : notre souverain lui répondit qu'elle avait été plus que cela puisqu'elle avait aussi su être un grand roi. L'hommage que rendait Louis le Quatorzième à sa mère était de taille : il reconnaissait de la sorte qu'au-delà de leurs fréquentes disputes sa mère avait eu un sens politique hors du commun.

Lorsque je contai cette anecdote à Gemme, elle eut une moue désapprobatrice : l'idée que c'était un véritable compliment lui échappa complètement. Elle me répondit qu'elle préférait les vers que Mademoiselle de Scudéry venait de faire paraître et qui se terminaient à peu près ainsi : « Elle a su vivre et mourir en reine. » J'abandonnai le débat, peu pressé d'affronter mon épouse sur le thème du rôle des femmes : je trouvais qu'elle prenait de plus en plus mal les remarques sur son statut d'épouse et qu'elle ne riait jamais autant que lorsqu'une servante, dans une comédie de Molière, remettait un maître à sa place !

Après la mort de la reine mère, je découvris la barbarie des moyens médicaux employés, et je m'en sentis humilié en tant que médecin.

Jean-Baptiste me répétait souvent que le costume signe l'homme : à ses yeux, une corporation comme la mienne, qui arpentait Paris montée sur des mules et habillée de longues robes noires, ne pouvait qu'inciter au rire et à la caricature. Pour la maladie d'Anne d'Autriche, l'ignorance crasse de mes confrères, ajoutée à la sauvagerie dont ils avaient fait preuve, donnait plutôt envie de pleurer. La médecine de mon temps était d'une stupidité irrémédiable, ne retenait de nos glorieux Anciens que les choses les plus sottes et refusait toute innovation de qualité. Ce constat me rendit morose. Cependant, la prudence me poussa à garder pour moi les idées que j'avais sur l'inutilité du traitement infligée à la mère du roi.

Je tentai plusieurs fois de voir Jean-Baptiste pour en parler, mais il semblait être en plein travail. Une fois, je décidai de passer à l'improviste; Toine me répondit qu'il n'était pas au logis. Une autre fois, je me présentai au théâtre du Palais-Royal, mais c'était jour de relâche et je ne rencontrai personne de la troupe. Je finis par envoyer un billet à son domicile. Une réponse de sa main me parvint quelques jours après : il était en pleine écriture et il avait grand besoin de solitude. Bien qu'un peu étonné, je respectai sa demande et attendis qu'il veuille bien se souvenir de mon existence.

Je traversais moi-même une période étrange, une période d'attente qui me tracassait fort. En effet, je savais qu'on pensait à moi pour la place de doyen de la Faculté de médecine de Paris, ce qui nécessitait de ma part une attitude presque surhumaine : me taire afin de ne fâcher personne. J'évitais de prendre position sur les sujets médicaux dont tout le monde parlait, ce qui me fut très pénible, car j'entendais autour de moi beaucoup de bêtises.

Après les discussions sans fin sur les causes de la mort de la reine mère, il y eut de nouvelles empoignades à propos des travaux de Harvey, un médecin anglais, sur la circulation du sang dans le corps. Son ouvrage était déjà ancien, mais le décès royal déclencha de nouvelles polémiques. Il faut dire que la théorie de Harvey était d'une audace folle : il prétendait que la quantité de sang était limitée dans le corps, et qu'elle circulait toujours dans le même sens grâce au cœur qui se comportait comme une pompe ! Plus étonnant encore, il affirmait détenir la preuve que les artères contenaient du sang et non de l'air. Tout cela allait à l'encontre des croyances fermement ancrées dans la population.

Les Parisiens ne purent résister à prendre parti dans cette polémique et la ville se sépara entre ceux qui défendaient l'Anglais et ceux qui le condamnaient. Guy Patin, grand soutien de Blondel, celui à qui je devais mon exclusion de la Faculté, montra dans ces disputes l'étroitesse de son esprit : il déclara que cette circulation du sang ne pouvait exister puisqu'elle n'était pas mentionnée dans la Bible ! Non content de s'être ainsi ridiculisé, il affirma que si vraiment le sang circulait la saignée était dangereuse, alors que « tout le monde savait que c'était le meilleur remède qui soit » ! Le raisonnement était sot, et la défense de la saignée criminelle : Gassendi, notre bon maître, était mort pour avoir été trop saigné, et cela n'avait échappé à personne !

L'ensemble de ces débats me faisait grincer des dents, mais je tins bon. J'avais déjà payé par le passé le prix de mes emportements, il était hors de question que, par des paroles inconsidérées, je gâche mes chances d'obtenir la place de doyen.

Je dois reconnaître que ma femme me fut d'un grand secours pendant toute cette période : quand elle me voyait sur le point d'exploser de colère, elle me prenait par le bras, s'emparait d'une broderie et s'installait dans ma pièce de travail. Je développais alors ce qui me faisait bondir, les imbécillités entendues à droite et à gauche. Avec le recul, je ne suis pas sûr qu'elle ait saisi la subtilité de mes arguments, mais elle savait qu'il me fallait m'exprimer sur les sujets interdits en public.

Un jour de mars, après avoir entendu des rumeurs sur le fait que l'infâme Blondel tentait de s'opposer à ma nomination, j'entrai dans une telle rage que Gemme me supplia d'aller prendre l'air ou, mieux, d'aller voir Jean-Baptiste. Elle me fit valoir que nous n'en avions aucune nouvelle, à part un court billet arrivé quelques jours auparavant. Je lui expliquai qu'il voulait être seul pour travailler.

– La belle affaire, me répondit-elle. Huit semaines que nous ne l'avons pas vu : ce n'est pas du travail, c'est le couvent, et Jean-Baptiste n'est pas coutumier du fait. Tu es son médecin, non ? File donc le voir, comme tu le fais pour tes autres patients !

Elle n'écouta pas mes protestations, s'assura que j'étais chaudement couvert, m'enfonça tout de même un bonnet de fourrure sur la tête et me poussa dehors. J'avoue que sur le moment je me sentis un peu humilié. Mais à la réflexion je songeai qu'une petite promenade ne pouvait que me faire du bien. Je me dirigeai vers la Seine, puis flânai le long des quais : les scènes qui s'y déroulaient finirent par faire tomber la tension qui m'agitait. Je consacrai de longues minutes à observer le chargement et le déchargement des bateaux, à écouter les marins qui semblaient incapables de s'exprimer autrement qu'en jurant. Après avoir joui un moment de ce spectacle, je me décidai à me rendre chez mon ami Jean-Baptiste.

Je ne l'avais pas vu depuis sa brouille avec ce jeune auteur, Jean Racine. Grâce à une connaissance de ma femme, je savais que ses démêlés avec les comédiens de l'Hôtel de Bourgogne étaient loin d'être terminés et que les deux troupes luttaient toujours, chacune cherchant à occuper la première place. Ce n'était d'ailleurs pas récent : depuis bientôt trois ans, l'Hôtel de Bourgogne copiait systématiquement les pièces jouées par Molière et ses comédiens. L'année précédente, alors qu'ils donnaient *La Mère coquette*, une pièce de Donneau de Visé, la compagnie rivale avait monté une pièce du même titre, écrite cette fois par Quinault ! La concurrence était rude et le petit Racine était intervenu dans ce conflit en retirant son *Alexandre* à Jean-Baptiste pour le donner à ses plus grands ennemis. En agissant ainsi, il avait asséné un coup terrible aux comédiens du Palais-Royal.

Je pensais bien que Jean-Baptiste avait eu du mal à s'en remettre, mais au bout de presque deux mois sa vitalité naturelle avait certainement repris le dessus.

Je le trouverais en plein travail, la plume alerte et prêt à en découdre. Peut-être pour une fois allait-il lâcher sa cible favorite, les médecins, pour s'attaquer aux auteurs de théâtre !

Un sentiment de culpabilité m'envahit à la pensée que j'étais resté si longtemps sans prendre de ses nouvelles. Cette idée, ajoutée au plaisir que j'avais à le voir, me poussa à remonter d'un pas vif vers la rue Saint-Thomas-du-Louvre dans laquelle mon ami habitait toujours. J'avisai l'immeuble, grimpai les étages et frappai à la porte. À ma grande surprise, personne n'ouvrit. Je frappai encore, avec un peu plus d'énergie, mais la porte resta close. J'allais redescendre les escaliers, toute ma bonne humeur envolée, lorsqu'un faible bruit me retint. Je collai mon oreille contre le bois : un craquement se fit distinctement entendre. Pas de doute, l'animal était au logis, mais refusait d'ouvrir. Cette fois-ci, je cognai franchement et l'interpellai au travers de la porte :

– Holà, Poquelin, c'est ton ami, Mauvillain ! Vas-tu donc m'ouvrir, mauvaise bête ?

Après un instant qui me parut une éternité, sa voix me parvint, comme étouffée :

– Que me veux-tu ?

J'en restai les bras ballants. En plus de trente ans

d'une amitié sans ombre, c'était bien la première fois que Jean-Baptiste me demandait ce que je voulais. Je n'étais pas loin de me mettre en colère. Je lui répondis :

– Ta question est d'une sottise sans borne ! Ce que je veux ? T'emprunter de l'argent, pardi, vieux grigou ! Hein, à ton avis ? C'est le but de ma visite ? Je viens prendre de tes nouvelles, comme un ami vient voir un ami, ou comme un médecin vient voir son patient ! Comptes-tu me laisser sécher à ta porte ou vas-tu enfin m'ouvrir ?

Il sembla, dans le silence, peser le pour et le contre, le mécanisme de la serrure grinça et enfin la porte s'ouvrit.

Je faillis reculer d'un pas lorsqu'apparut mon ami. Amaigri de plusieurs livres, le visage agité de tics, Jean-Baptiste n'était plus que l'ombre de lui-même.

CHAPITRE 11

Paralysé par la surprise, il me fallut quelques secondes pour entrer et refermer la porte derrière moi. Une odeur de crasse et de renfermé me sauta à la gorge. Jean-Baptiste était là, dans le couloir, et ne semblait pas vouloir bouger. Ses yeux, profondément enfoncés dans ses orbites, avaient perdu toute leur vivacité. En regardant le bougeoir qu'il tenait dans les mains, je remarquai qu'en plus du tic nerveux qui l'obligeait à jeter sans arrêt ses yeux vers l'arrière ses mains étaient agitées de tremblements. Je le pressai de questions :

– Jean-Baptiste, que t'est-il arrivé ? Tu es seul ? Où sont Armande et ta petite fille ? Et Toine, où est-il ?

Il ne me répondit pas, mais fit un vague signe de la main. Puis, me tournant le dos, il partit vers le fond de l'appartement. Je le suivis et découvris avec horreur, à la lumière de la bougie, le désordre et la saleté qui avaient envahi les lieux. Des assiettes à moitié remplies, dont le contenu était parfois décomposé, ponctuaient les tables, les chaises et les fauteuils. Les rideaux étaient tirés, laissant filtrer çà et là une mauvaise lueur, tandis que des bougies éteintes, dont la cire avait coulé en larges flaques, avaient été plantées non pas dans des bougeoirs mais sur des coins de meubles. Jean-Baptiste traversait cette désolation sans en paraître le moins du monde affecté. Son pas était lent, malhabile et il se tenait voûté.

Je réfléchissais à ce qui pouvait l'avoir mis dans cet état. Une mauvaise fièvre, des poumons engorgés qui lui auraient ôté ses forces ? Mais que faisait donc sa femme ? Il était directeur de troupe, où étaient ses comédiens ? Son domestique ? Comme en écho aux questions qui se bousculaient dans mon esprit, il toussa plusieurs fois, produisant un son rauque, caverneux, qui me déplut fortement.

Nous arrivâmes enfin dans sa chambre. Il ôta sa robe d'intérieur et je fus frappé de nouveau par sa maigreur. Les os de ses coudes pointaient sous le coton de sa chemise, et lorsqu'il s'assit sur son lit, je vis clairement que ses jambes avaient perdu toute chair. Il s'allongea sur son matelas et tira sur lui une courtepointe. Depuis qu'il m'avait ouvert, il n'avait pas prononcé un mot.

Je me sentis très désorienté, puis mon bon sens

me dicta ma conduite. S'il m'avait ouvert, c'est qu'il voulait me voir, et donc qu'il acceptait mon aide !

Je me dirigeai vers la fenêtre : j'enlevai les volets intérieurs et l'ouvris en grand. Un air frais pénétra en force dans la pièce, au grand dam de Jean-Baptiste qui grogna misérablement. Je m'approchai de lui et remontai la courtepointe jusque sur son menton.

– As-tu froid ?

Il hocha la tête. J'étalai mon manteau sur son lit, et couvris sa tête de mon bonnet de fourrure. Dans un coin de la chambre, un panier contenait des bûches : je cassai l'écorce, la posai dans l'âtre et l'enflammai à l'aide de la bougie qu'il avait laissée sur le marbre de la cheminée. Je débarrassai la table de ses restes de repas et les déposai sur une console, dans le couloir. Mon ami avait dû travailler, puisque sous la dernière assiette s'empilait un épais tas de feuillets numérotés, maculés de ratures et de traces de doigts. Je rassemblai le tout en une liasse que je rangeai sur le côté.

Jean-Baptiste n'avait toujours pas dit un mot. Les yeux fermés, il semblait dormir, mais son souffle irrégulier le trahissait. Le feu avait enfin pris et ne tarderait pas à réchauffer la pièce. Je fermai la fenêtre et m'assis sur le lit. Il ouvrit un œil, qu'il referma aussitôt.

– Jean-Baptiste, regarde-moi maintenant : si tu joues une comédie, elle est mauvaise.

Il ouvrit cette fois franchement les yeux et sa voix enrouée se fit entendre dans la pièce :

– Une mauvaise comédie ? Je ne suis bon qu'à ça…

Il tira le manteau sur son épaule et se tourna vers le mur. Voilà donc où était le nœud du problème ! Je me souvins soudainement de sa peine lors de la « trahison » de Racine : comment avais-je pu oublier ce qu'il avait dit ce jour-là ? En lui refusant finalement son *Alexandre*, Racine l'avait rejeté du côté des bouffons, et c'était cela qui le rendait malade !

Je tins cependant à m'assurer de son état physique. Je le convainquis de se laisser examiner. Pendant que je me livrais à des investigations, il m'expliqua par bribes comment il s'était retrouvé seul dans son appartement. Il avait très mal vécu la trahison de Racine, ce que je savais déjà. J'ignorais par contre qu'elle avait été suivie de la défection de Marquise Du Parc, qui avait quitté la troupe du Palais-Royal pour entrer dans celle des comédiens de l'Hôtel de Bourgogne. Je l'écoutai me raconter le départ de Marquise et les conséquences sur le moral de la troupe, puis je l'interrompis pour lui demander le chemin des cuisines.

Il s'était peu nourri, mais en dehors du sifflement qui persistait dans ses poumons, il n'était pas en si mauvaise santé. Il fallait avant tout qu'il s'alimente. Je dénichai, au milieu de la saleté la plus repoussante, un pichet qui m'avait l'air assez propre et une bouteille de vin non décachetée. Il y avait un peu d'eau dans la fontaine : je rinçai le récipient, le remplis et emportai mes trouvailles dans la chambre.

Jean-Baptiste n'avait pas bougé, il fixait le feu d'un regard qui me sembla désolé. Tandis que je mettais l'eau à chauffer près des braises, il me dit, d'une voix où perçait cette fois l'amertume :

– Au début, Armande était contente du départ de Marquise, puis les criailleries ont recommencé. Selon elle, rien n'allait, nous ne sortions pas assez dans le monde, je ne lui offrais pas assez de cadeaux… Ou encore je travaillais trop. Et parfois pas assez ! Elle me trouvait fainéant et me citait à longueur de temps tel ou tel auteur qui venait de publier une pièce… Quant à notre petite, heureusement qu'il y avait sa tante, Madeleine !

– Mais où est-elle partie ?

Il eut un geste désabusé. Gemme avait eu raison, ce mariage ne convenait pas à notre ami. Sans doute Armande s'était-elle lassée de ce mari âgé, d'une santé parfois fragile, qui travaillait beaucoup, sans doute trop, et qui ne lui prêtait pas assez attention à son goût. Elle était jolie, les tentations fréquentes, et elle manquait de force pour leur résister.

Par crainte de le peiner, je ne répétai pas ma question. L'eau était chaude : j'entourai le pichet d'un morceau d'étoffe pour ne pas me brûler, mélangeai son contenu avec un peu de vin et remis le tout à chauffer dans l'âtre.

Jean-Baptiste reprit :

– Elle m'a laissé, voilà tout. La petite est chez Madeleine, mais je n'ai de toute façon pas la force de m'en occuper. Je ne veux plus les voir, aucun d'entre eux. Ils m'épuisent, avec leurs humeurs, leurs mensonges, leurs exigences. Même Toine, j'ai fini par le renvoyer pour quelques jours dans sa famille, à Rouen ; je n'en pouvais plus de le sentir me tourner autour. Ils sont là, comme des corbeaux, à se nourrir de mon cadavre. Parce que je vais mourir, Armand, tu le sais. Alors ma fille, il faudra que tu t'en charges, c'est une bonne petite. Tu seras son tuteur, hein ?

Ainsi Jean-Baptiste se croyait-il déjà condamné ! Il avait écarté de lui tous ceux qui l'entouraient, même quand ils lui voulaient du bien. Je compris qu'il était victime d'une maladie de l'âme, et que son corps ne faisait que refléter cela. C'était rassurant. Même si les maladies qui attaquaient l'âme étaient sérieuses, elles ne pouvaient à mon sens se comparer à celles qui attaquaient le corps.

Je lui souris gentiment et secouai la tête.

– Jean-Baptiste, tu vas mourir, comme nous tous, mais pas tout de suite. Par contre, ce qui est sûr, c'est que tes humeurs sont déréglées ! Je t'ai déjà expliqué cela : te souviens-tu de ces vers que je récitais quand j'étudiais la médecine : « Mais ces quatre humeurs dans les hommes, Se mélangent diversement, Et leurs combinaisons en tous tant que nous sommes, Décident le tempérament » ? Ça te dit quelque chose ?

– Ça me dit juste que ce sont de mauvais vers !

– Peut-être, mais ils sont très anciens et résument bien ton état actuel : quitte ton air exaspéré, je te fais un petit cours de médecine gratis. Quatre liquides circulent dans ton corps : le sang, la bile, le flegme et la bile noire. Ils ne sont pas tout le temps équilibrés. Tu souffres de ce qu'on appelle une « intempérie », c'est-à-dire que ta bile noire est en excès par rapport aux autres liquides de ton corps. Tu vois tout en noir, tu ne supportes rien ni personne et tu exiges trop des autres comme de toi-même.

Ma description sommaire de sa maladie le laissa étonné.

– Tu crois vraiment ce que tu dis ? Je veux dire, tu crois vraiment que le mélange des liquides dans le corps détermine l'humeur des gens ?

– Ce n'est pas une théorie récente, rétorquai-je, déjà les Anciens la connaissaient. Elle a ses limites, mais je la trouve intéressante. Tu souffres de deux choses différentes. Tu respires mal, et ça, c'est dû à tes poumons ; mais je pense aussi que ton humeur sombre est liée à un dérèglement de tes humeurs : tu es ce qu'on appelle un « atrabilaire », mon cher !

Tandis qu'il réfléchissait à ce que je venais de lui dire, je me levai. Mon mélange était chaud, je le versai dans une timbale dont je ne cherchai pas à évaluer l'état de propreté et tendis celle-ci à Jean-Baptiste. Il but une première gorgée, se brûla, manqua de s'étouffer. À la deuxième gorgée, il me sourit doucement et me prit la main.

– Si je suis un atrabilaire, qu'es-tu ?

– Un flegmatique, avec une tendance de sanguin. Je perds mon calme facilement, tu le sais bien !

Le vin chaud produisait son effet. Jean-Baptiste se détendit peu à peu, me raconta comment il s'était enfoncé dans la mélancolie. Il est vrai que malgré les succès de ses pièces il avait traversé de nombreuses épreuves, de celles qui marquent un homme. Depuis presque deux ans, il avait souffert, souffert de la mort de son fils, de l'interdiction de son *Tartuffe*, de son *Dom Juan* discrètement étouffé, puis de la campagne de calomnie, de rumeurs, d'insinuations. On avait tout dit sur lui, qu'il avait épousé sa propre fille, qu'il avait commerce avec le démon, qu'il était fou, maniaque, dangereux. Sa femme venait de le fuir, sans doute pour un autre. On aurait détesté les hommes à moins que cela.

Lorsqu'il eut terminé son récit, je le sentis apaisé. Je lui proposai de venir s'installer à la maison, mais il refusa. J'insistai alors pour lui envoyer notre petite domestique dès ce soir : elle saurait prendre soin de lui en attendant que Toine revienne. J'alimentai à nouveau le feu et nous bavardâmes de choses et d'autres. Il me promit de se nourrir correctement et de boire à intervalles réguliers un mélange d'eau et de vin qui lui fortifierait le corps comme la cervelle pour résister à ses accès de mélancolie.

Il fit une allusion au tas de feuillets qui étaient sur la table en m'expliquant que sa nouvelle pièce était presque achevée. Cela traitait d'un homme qui se fâchait constamment contre ses semblables.

Je faillis rire, mais il me sembla qu'il n'avait pas fait le rapprochement entre son état actuel et le sujet de sa pièce. Je me trompais pourtant. Au moment de le quitter, je lui demandai quel titre il voulait donner à cette nouvelle œuvre. Il me répondit qu'il avait tout d'abord pensé au *Misanthrope*. Mais il ajouta, en me faisant un clin d'œil :

– En y réfléchissant, il faudrait peut-être que je l'appelle plutôt *L'Atrabilaire amoureux*, non ?

Je le quittai, pleinement rassuré. S'il songeait au titre de ses pièces, c'est qu'il était sauvé.

CHAPITRE 12

Le 4 juin 1666, la troupe de Molière donna au théâtre du Palais-Royal une nouvelle pièce, *Le Misanthrope*, qui remporta un honnête succès. Pour ma part, je trouvai qu'avec *Dom Juan* c'était l'une des meilleures écrites par Jean-Baptiste. Le public qui la vit était de mon avis, mais on approchait de l'été et le mois de juin n'était pas vraiment favorable à la présentation de nouveautés, ce qui nuisit un peu à la fréquentation du théâtre.

Mon ami s'était attribué le rôle principal, celui d'Alceste, cet « atrabilaire » qui, comme l'indiquait le titre, détestait les hommes, sans doute parce qu'il avait trop espéré de leur fréquentation. Jean-Baptiste avait mis dans ce personnage toute l'expérience qu'il avait tirée de ses mois de mélancolie. Je l'avais vu souvent entre mars et juin, attentif à le suivre dans sa sortie de crise. Nous nous querellâmes un nombre incalculable de fois : il devenait de plus en plus hypocondriaque, se tâtant le pouls à chaque instant, me réclamant toutes sortes de drogues qu'il ne prenait pas et de prescriptions qu'il ne suivait jamais. Quand la pièce fut enfin écrite, Armande revint au logis et la vie sembla reprendre son cours.

La cure la plus efficace pour lui fut sans doute d'entrer dans la peau de son personnage, Alceste. Il acheva sa guérison sur scène, vêtu d'un haut-de-chausses et d'un justaucorps de brocart rayé or et gris, garni de rubans verts. Boileau, qui était également dans la salle le 4 juin, me confia que lors d'une répétition il avait vu notre ami commun accompagner certaines tirades d'un rire amer. Armande tenait le rôle de Célimène, cette coquette qui tourmentait Alceste, et cela lui allait comme un gant.

Jean-Baptiste continua à travailler tout l'été. Nous nous vîmes à plusieurs reprises, mais sans Armande. Il emmena à chaque visite sa petite Esprit-Madeleine, qui fit bien tourner en bourrique nos garçons. Je me disais souvent qu'il serait bon pour Gemme et moi d'avoir un autre enfant, aussi ma joie fut-elle immense lorsque ma femme m'apprit qu'elle était grosse. J'espérais cette fois une fille, pour que Gemme puisse lui enseigner tout ce qu'elle savait et qu'il y ait une présence féminine supplémentaire dans la maison. Jean-Baptiste éclatait de rire lorsque

je lui confiais mes soucis : nos vies étaient si différentes que les ennuis de l'un paraissaient à l'autre
des broutilles !

Souvent, Gemme nous poussait dehors après le
déjeuner. Nous flânions tranquillement le long de
la Seine tout en devisant. Nous parlâmes beaucoup
de médecine : Jean-Baptiste était bien le seul auprès
duquel je pouvais sans risque critiquer mes confrères
et rire de leurs stupides pratiques. La rumeur que
m'avait transmise Joncquet s'était peu à peu confir-
mée : j'étais en passe d'être nommé doyen de la
Faculté de médecine, à la grande colère de certains.
Ma nomination ne serait effective qu'au mois de
novembre, mais rien ne pouvait s'opposer à ce que
je prenne enfin ce poste. J'étais soulagé, parce que
je voyais en cela l'annulation de la peine qui m'avait
frappé quelques années auparavant, mais j'étais dans
le même temps très frustré d'être obligé de me cantonner à un silence prudent.

Le lourd climat des deux années précédentes était
apaisé. Après la mort d'Anne d'Autriche, le parti dévot
avait eu du mal à se reconstituer, mais beaucoup crai-
gnaient que le roi Louis ne finisse par tomber dans
ses filets. Il ne semblait cependant pas en prendre le
chemin : on murmurait qu'il était amoureux d'une

mademoiselle de La Vallière, et que des fêtes se dérouleraient en décembre à Saint-Germain. Le roi et sa nouvelle maîtresse y danseraient. Il était bien sûr convenu que la troupe de Molière serait de la partie, et Jean-Baptiste réfléchissait déjà à un sujet. Lully, toujours partenaire des succès, était prêt à ce qu'ils poursuivent leur collaboration.

La troupe poussait mon ami à produire également autre chose pour la rentrée : les recettes s'essouf-flaient, il fallait proposer au public de la nouveauté pour remplir le théâtre du Palais-Royal en septembre. Jean-Baptiste était encore fatigué de ce mauvais hiver et du travail fourni pour *Le Misanthrope*. Malgré eux, Gemme et Daquin, séparément, lui donnèrent l'idée de son nouveau texte.

Lors d'une soirée qu'il passa à la maison, Gemme nous fit la lecture d'un conte ancien qui nous fit beau-coup rire. Elle avait une jolie voix et c'était toujours pour moi un plaisir de l'entendre. Jean-Baptiste, à qui nous demandions chaque fois de lire, refusait en disant qu'il avait l'impression de travailler. Je soupçonne ma femme d'avoir choisi ce texte avec beaucoup de malignité, car il s'intitulait *Le Vilain Mire*. Le mot « mire » désignait anciennement le médecin, dont la seule possibilité d'action, des siècles auparavant, était de mirer les urines. Tout le monde se moquait de cette pratique, ce qui à mon sens était une erreur : la couleur des urines donne au médecin bon nombre de renseignements sur l'état de santé de son malade. Je tentai bien de défendre ma profession, mais toute la famille, soutenue par mon ami, me cloua le bec. Comme je le fis remarquer au comédien, on voyait clairement qui gouvernait dans ma maison !

L'histoire, il faut le dire, était fort amusante : un paysan bat sa femme, elle décide de se venger ; lorsque passent deux envoyés du roi à la recherche d'un médecin pour guérir une jeune princesse, la femme désigne son mari, mais explique qu'il ne devient bon médecin que lorsqu'on lui tape dessus ! Il s'ensuivait toute une série de malentendus qui nous mirent en joie.

Je sentais bien que Jean-Baptiste était intéressé par le sujet de la femme qui se venge, mais il manquait encore une étincelle pour déclencher son imagination. Un déménagement y pourvut : suite à une énième algarade avec Daquin à propos de son loyer, mon ami quitta son logement. Il transféra à un autre locataire le bail de l'appartement qu'il avait loué et dénicha, pour la moitié du prix, les troisième et quatrième étages d'une autre demeure située un peu plus loin, toujours rue Saint-Thomas-du-Louvre, mais presque à l'angle de la rue Saint-Honoré. Daquin ne s'aperçut de la manœuvre que très tard, et dès lors il ne rata pas une occasion d'injurier Jean-Baptiste. Celui-ci rumina sa vengeance quelques semaines, puis il en trouva l'instrument parfait avec une nouvelle pièce, courte et drôle. C'est ainsi que naquit *Le Médecin malgré lui.*

Gemme et moi eûmes la chance d'avoir la première lecture du texte. Je ris tout à mon aise, heureux de retrouver le personnage du valet Sganarelle qui m'avait tant plu dans *Dom Juan*. Cette fois, ce n'était pas tant les médecins que la crédulité de leurs patients que la pièce visait : un faux médecin traitait une fausse malade, contait fleurette à la servante, soignait tout le monde à coups de fromage et de formules latines mal digérées. L'action était rapide, les coups de bâton venaient à propos et les trois actes s'enchaînaient avec naturel. On avait là bon nombre des ingrédients de *L'Amour médecin*, mais je trouvais l'histoire plus drôle, plus gaie, plus enlevée, comme si un poids s'était envolé des épaules de mon ami. Les enfants obtinrent la permission d'assister à la lecture, et Guillaume rit tellement fort qu'il en tomba de sa petite chaise.

Plus tard, dans la soirée, lorsque Gemme fut partie coucher les enfants, nous restâmes tous les deux devant le feu qui se mourait. Je demandai à Jean-Baptiste où il avait puisé la force de construire quelque chose d'aussi vivant, si peu de temps après sa maladie. Il réfléchit, puis, tisonnant le feu, me répondit :

– Au mois de mars, j'ai cru que je mourais. Tu es venu me voir. Ce n'est pas la force de ta science qui m'a tiré de ma mélancolie, c'est celle de ton indéfectible amitié. Alors quand il a fallu écrire, je me suis dit que je pouvais profiter de l'occasion pour rire aux dépens de Daquin. Mais je voulais que ce soit un rire gai, comme celui qu'on a quand on se sait guéri. Au fond, je commence à penser que tu avais raison quand nous parlions de la comédie et de la tragédie : on peut dénoncer les mœurs de son siècle et les défauts des hommes, mais on peut aussi tenter de les corriger en riant. Je crois que, désormais, ce sera ma devise.

Je me levai et le serrai contre mon cœur. C'est ce jour-là que je compris que mon ami était un comédien formidable, un metteur en scène étonnant, mais qu'il était, avant tout, un immense auteur de théâtre.

Molière, entre le rêve et l'histoire

Note de l'auteur

J'ai toujours passionnément aimé Molière. À chaque fois que je relis l'une de ses pièces, je suis toujours frappée par la vivacité de son texte, par la rapidité des répliques : la vie galope dans son théâtre. Lors de l'écriture de ce roman, j'ai cherché, en m'appuyant sur des sources historiques, à recréer le Molière que je percevais au travers de ses pièces.

Sa vie a été très agitée entre ses déménagements, ses ennuis avec l'Église, ses brouilles avec ses contemporains et ses acteurs. Bien des siècles après sa mort, il trouve encore le moyen d'alimenter des discussions passionnées entre les spécialistes !

Mauvillain, un médecin ami de Molière

Armand-Jean de Mauvillain, le narrateur de ce récit, était vraiment un ami de Molière. On a très peu de traces écrites de la réalité de leur relation, mais on sait qu'à la mort de l'auteur, il fut choisi par la famille pour répartir l'héritage d'Esprit-Madeleine, l'unique enfant vivant de Molière. La tâche était délicate, il fallait qu'elle soit exécutée selon la volonté du défunt. Qui pouvait la remplir, à part un ami proche ?

Les anecdotes sur la carrière médicale de Mauvillain sont bien réelles : il fut exclu de la Faculté de médecine pour s'être battu avec le doyen François Blondel, et il réussit effectivement à conquérir ce poste en 1666. Lorsque le Parlement autorisa enfin l'utilisation des émétiques, il fit frapper une médaille le montrant en train de terrasser Blondel, son ennemi de toujours ! De la même manière, la petite histoire racontée au sujet de sa jeune belle-sœur est exacte : il poursuivit le couple de sa colère et mit longtemps à accepter ce mariage qui s'était fait sans son consentement.

Il mourut en 1685, quelques années après son ami Jean-Baptiste Poquelin. Il était sans doute resté proche de la troupe, puisque son décès est noté par l'acteur La Grange dans les comptes quotidiens qu'il tenait depuis 1664.

Pour les besoins de mon histoire, j'ai imaginé que Mauvillain avait assisté aux cours de Gassendi avec Molière : c'est possible, même si on n'a aucune preuve de la présence de l'auteur à ces cours. Mais j'avais envie d'ouvrir une fenêtre sur un Molière jeune, passionné, bon ami, et il me semblait qu'une amitié aussi forte entre deux hommes ne pouvait prendre ses racines que dans l'adolescence.

L'œuvre de Molière fourmille d'anecdotes plus ou moins aimables sur les médecins. Elles présentent toutes un caractère commun : elles montrent à quel point il était renseigné sur les pratiques médicales et sur les débats qui agitaient la médecine de son temps. Rien ne permet d'affirmer que tous ces renseignements lui venaient de Mauvillain, mais il m'a paru naturel d'imaginer que c'est auprès de lui que Molière est allé chercher ses sources.

1664-1665, deux années dans la vie de Molière

J'ai choisi de situer ce roman entre 1664 et 1666, deux années de la vie de Molière riches en événements et qui me paraissent constituer pour lui un tournant. En effet, c'est à cette époque que sa troupe devient Troupe du Roy, il écrit des pièces essentielles dans son œuvre comme *Le Tartuffe*, *Dom Juan* ou *Le Misanthrope*, tout en continuant à créer des comédies plus légères dans lesquelles il prend souvent pour cible la médecine et les médecins.

Beaucoup de spécialistes se sont penchés sur cette période pour essayer de comprendre pourquoi Molière s'était autant acharné sur cette profession : j'ai choisi d'imaginer que cela avait un lien avec sa propre vie. En effet, pendant ces deux années, il est confronté à la mort et à la maladie. Son comédien René Du Parc meurt : le choc est violent pour Molière, Gros-René, comme il se faisait appeler, l'avait accompagné pendant toute la période de sa vie où il mûrissait son théâtre en province. Puis survient la mort de son fils, une mort qui est exploitée par ses détracteurs.

Comme je l'ai évoqué dans le roman, des rumeurs épouvantables courent sur Armande, la femme de Molière. Il faut bien dire que la situation est étrange : Molière a été pendant longtemps l'amant de Madeleine Béjart, puis d'un seul coup il épouse Armande, sa jeune sœur ! Les rivaux de Molière profitent de la situation pour insinuer qu'Armande est en réalité une enfant née de la liaison des deux acteurs, et que Molière a ainsi épousé sa propre fille. La mort du petit Louis, âgé de quelques mois, est aussitôt vue par les rivaux de Molière comme une punition divine qui s'abat sur l'auteur.

Molière lui-même va mal, physiquement comme moralement. Physiquement, parce qu'il semble que se déclenche à cette époque la maladie qui va l'emporter quelques années plus tard. Moralement, parce que la période est difficile, que ses textes sont censurés ou interdits.

Il faut ajouter à tout cela les relations tendues que le comédien entretenait avec Daquin, son propriétaire. Certaines anecdotes, comme celle d'Armande mettant à la porte du théâtre la femme du médecin, ont été rapportées.

Je dois d'ailleurs rendre justice à Armande : je la présente dans ce roman comme une jeune et jolie écervelée, et je fais référence aux liaisons qu'elle aurait entretenues avec des gentilshommes de la Cour. Il semblerait que les détracteurs de Molière aient créé cette image et que la jeune femme ne se soit pas comportée ainsi.

Le soutien du roi Louis XIV a été très important dans la carrière de Molière : en plus des faits que je rapporte dans le roman, il ne faut pas négliger ce qui s'est passé à la mort du comédien. Pour être enterré dans un cimetière, un acteur devait prononcer devant un prêtre des paroles précises montrant clairement qu'il regrettait d'avoir consacré sa vie à la scène. Avant de mourir, Molière n'eut pas le temps de dire ces mots, ou peut-être, comme je me plais à l'imaginer, ne le voulut-il pas vraiment. C'est Louis XIV en personne qui convainquit le curé de Saint-Eustache, chargé de l'enterrement, d'accepter que sa sépulture soit dans le cimetière et non à la fosse commune.

Une semaine après la mort du comédien, la troupe reprit ses représentations. Au bout de quelques années, en 1680, la Troupe du Roy dut fusionner avec celle de l'Hôtel de Bourgogne pour créer la Comédie-Française qui, depuis, continue à jouer chaque année des pièces de cet extraordinaire auteur.

Chronologie de la vie de Molière

1622 : naissance à Paris de Jean-Baptiste Poquelin.

1635-1639 : élève au collège de Clermont (futur lycée Louis-le-Grand) à Paris, où il fait d'excellentes études en vue de reprendre la charge de son père, tapissier du roi.

1643 : après des études de droit, Jean-Baptiste renonce à la charge de son père et fonde l'Illustre Théâtre avec la famille Béjart.

1645-1658 : il quitte Paris pour la province après l'échec de son théâtre.

1658 : retour à Paris de Molière et sa troupe qui passe sous la protection de Monsieur, le frère du roi.

1662 : mariage avec Armande Béjart et triomphe de *L'École des Femmes*. Les succès vont dès lors s'enchaîner et rendre la troupe de Molière essentielle à la vie théâtrale parisienne.

1665 : la troupe de Molière devient Troupe du Roy.

1673 : lors d'une représentation du *Malade Imaginaire*, Molière est pris de convulsions. Il est transporté chez lui où il meurt quelques heures après.

TABLE DES MATIÈRES

Laure Bazire

Professeur de Lettres, Laure Bazire aurait voulu élever des poules et créer des jardins. Elle a bien élevé des poules, mais les chiens les ont dévorées, alors elle élève ses enfants, secoue ses élèves, soigne ses rosiers et écrit les histoires qu'elle n'a pas vécues. Après avoir passé plusieurs années à l'étranger puis à Versailles, elle partage désormais son temps entre Paris et la Normandie. Elle a eu un âne pendant longtemps (ceux qui ont lu *Le Singe de Buffon* en ont entendu parler !), mais il est maintenant à la retraite dans une propriété voisine, après avoir tenté de s'introduire maintes fois dans le salon.

Co-autrice de romans sur le siècle des Lumières, elle a espéré avec ce roman faire partager son admiration pour Molière.

Vous avez aimé
LES MÉDECINS RIDICULES

Découvrez, de la même autrice...

Le secret du gladiateur
Ill. de Jaouen Salaün
À partir de 10 ans

Marcus est effondré. Son père, le gladiateur Fulgur, a failli périr dans l'arène. La férocité de son adversaire était telle que Fulgur s'interroge : l'homme lui en voulait-il personnellement ? Lorsque son père est victime d'une autre agression, Marcus n'hésite plus : il veut découvrir la vérité, coûte que coûte.

...et d'autres romans dans la même collection...

Le sourire de ma mère – Une année avec Léonard de Vinci
MARIE SELLIER
À partir de 11 ans
Texte adapté au programme scolaire

« – Qui es-tu ?
La voix est ferme. La main qui s'est posée sur son épaule plus ferme encore. Caterina s'attend au pire, elle ne devrait pas se trouver ici… Elle se retourne lentement.
L'homme qui lui fait face a les yeux clairs, le visage strié de fines ridules, une abondante barbe blanche. Le grand Léonard de Vinci ! »

Un marin de trop – Voyage avec Christophe Colomb
FLORE TALAMON
À partir de 11 ans
Texte adapté au programme scolaire

« Tiago se redressa et regarda autour de lui avec stupeur. À bâbord, à tribord, la mer ; au loin, la côte qui s'éloignait. La Santa María avait pris le large ! Il était donc lancé, sans retour possible, dans ce voyage vers les Indes, ce continent lointain qui suscitait tant de convoitises… »

Le journal d'Adeline – Un été avec Van Gogh

Marie Sellier

À partir de 11 ans
Liste officielle du Ministère de l'Éducation Nationale

« J'ai eu un choc en voyant mon portrait. Il m'a barbouillé les yeux de rouge et labouré les mains de traits verts. Je suis laide à faire peur. Si seulement j'avais eu le courage de lui dire que je n'aimais pas son tableau, il ne me l'aurait certainement pas offert. Pauvre monsieur Vincent, il travaille tellement. C'est cruel, mais je crois bien que c'est un peintre raté ! »

N° d'éditeur : 10271010 — Dépôt légal : juillet 2019
Imprimé en février 2021 par Jouve-Print (53100 Mayenne, France)
N° d'impression : 2959999L